100 MANERAS DE POTENCIAR TUS DEFENSAS

100 MANERAS DE POTENCIAR TUS DEFENSAS

CHARLOTTE HAIGH

Grijalbo

Título original: *Top 100 Immunity Boosters*

Publicado por primera vez en el Reino Unido en 2005 por Duncan Baird Publishers

Concebido, creado y diseñado por Duncan Baird Publishers

© 2005, Duncan Baird Publishers, por la edición original
© 2005, Charlotte Haigh, por el texto
© 2005, Duncan Baird Publishers, por las fotografías
© 2007, Random House Mondadori, S. A., por la presente edición
   Travessera de Gràcia, 47-49, 08021 Barcelona
© 2007, Ersi Samará, por la traducción

Tercera edición, marzo de 2008

Edición: Julia Charles
Redacción: Ingrid Court-Jones
Diseño: Manisha Patel
Maquetación: Justin Ford

Coordinación editorial de la edición española: Bettina Meyer
Fotocomposición: Víctor Igual, S. L.

ISBN: 978-84-253-4077-2

Impreso en Malaysia por Imago

G R 4 0 7 7 2

sumario

SÍMBOLOS

○	antialergénico
◐	antibacteriano
©	anticancerígeno
○	antivírico
○	antiinflamatorio
○	antioxidante
○	antiséptico
○	desintoxicante
♡	bueno para el corazón

el sistema inmunológico

ALIMENTOS ESTRELLA PARA EL SISTEMA INMUNOLÓGICO:

remolacha *véanse páginas 16–17*

shiitake *véanse páginas 20–21*

aguacate *véanse páginas 24-25*

col rizada *véanse páginas 34-35*

pomelo *véanse páginas 52-53*

arándanos *véanse páginas 56–57*

nueces de Brasil *véanse pp. 66–67*

soja *véanse páginas 88-89*

té verde *véanse páginas 110-111*

ajo *véanse páginas 116–117*

Un eficiente sistema inmunológico asegura una buena salud. Nos ayuda a protegernos de todo tipo de enfermedades, combate las intoxicaciones alimenticias y mantiene a raya las alergias, además de retrasar el proceso de envejecimiento. Las dietas deficientes, los estilos de vida poco sanos y la exposición a ambientes tóxicos pueden comprometer y debilitar nuestro sistema inmunológico y dejarnos expuestos a todo tipo de enfermedades.

CÓMO FUNCIONA

El sistema inmunológico se basa en el sistema linfático y el riego sanguíneo, aunque la piel y otros órganos, como el sistema digestivo, desempeñan también un importante papel.

El sistema linfático consiste en una red de conductos que devuelven el líquido de los espacios intercelulares a la circulación sanguínea. Los nódulos linfáticos, el bazo y el timo forman parte del sistema linfático y producen linfocitos, células encargadas de identificar, atacar y eliminar las sustancias extrañas, los microbios y las células cancerígenas. Existen dos tipos de linfocitos: las células B y las células T. Estas últimas, producidas en el timo, destruyen los cuerpos extraños, mientras que las células B, producidas en el bazo, secretan anticuerpos para eliminar a los intrusos indeseables. Similares a los linfocitos son las células NK asesinas, especialmente letales contra las células cancerígenas, a las que destruyen por completo. Las células blancas de la sangre —fagocitos y linfocitos— destruyen las bacterias invasoras y eliminan los tejidos muertos o dañados. Un buen sistema inmunológico se encuentra en perfecto equilibrio. Por eso, aunque está encargado de la destrucción de las sustancias extrañas, permite la entrada a aquellas que nos son necesarias, como los alimentos. Por ejemplo, la ecología inmunológica del intestino contiene una cantidad equilibrada de bacterias amigas y enemigas. Si ambas coexisten en armonía, la inmunidad digestiva será correcta; si por el contrario las bacterias enemigas proliferan, aparecerán problemas digestivos.

LOS ENEMIGOS DEL SISTEMA INMUNOLÓGICO

Todos los órganos y células del sistema inmunológico dependen de sustancias nutritivas específicas para su funcionamiento. Por ejemplo, el interferón, sustancia química antivírica y anticancerígena que secretan los tejidos de todo nuestro cuerpo, necesita vitamina C para su producción, mientras que la lisocima, una enzima antibacteriana que se encuentra en fluidos corporales como las lágrimas y la sangre, requiere vitamina A. Una dieta deficiente tiene como resultado inmediato la debilitación del sistema inmunológico. Entre otros enemigos del vigor de nuestra inmunidad se encuentran el estrés, el tabaco, el exceso de alcohol y cafeína, las drogas (médicas y lúdicas), los aditivos alimenticios, los pesticidas y la polución.

SIGNOS DE INMUNIDAD BAJA

El funcionamiento deficiente del sistema inmunológico no tarda en hacerse manifiesto. Mientras que es normal tener un par de resfriados al año, la baja inmunidad nos hace sucumbir con frecuencia a las infecciones. También surgen problemas digestivos, fatiga, dolor de articulaciones, debilidad muscular y problemas cutáneos.

El sistema inmunológico desequilibrado produce también alergias e intolerancias a determinados alimentos, ya que lanza un ataque al identificar la presencia de ciertas sustancias desencadenantes. En estos casos, libera histamina y otras sustancias químicas para ahuyentar al que percibe como invasor, causando una plétora de síntomas molestos.

La autoinmunidad ocurre cuando el cuerpo excede sus funciones y empieza a producir anticuerpos que atacan sus propios tejidos. El lupus y la artritis reumatoide son enfermedades autoinmunes.

alimentos inmunológicos

El sistema en su totalidad necesita vitamina C para funcionar bien, así que consume muchos alimentos ricos en esta sustancia antioxidante. La mayoría de las frutas y verduras tienen un alto contenido de vitamina C. La vitamina A es una sustancia antivírica poderosa y ayuda a mantener la glándula del timo. Se encuentra en el hígado, los productos lácteos, el pescado graso, el aceite de hígado de bacalao y en determinadas plantas, en forma de betacaroteno, que el cuerpo convierte en vitamina A. Las vitaminas B son importantes para la actividad de los fagocitos y la vitamina E es un antioxidante poderoso, que estimula la producción de anticuerpos.

También son importantes determinados minerales. El calcio ayuda a los fagocitos a realizar sus tareas de limpieza, mientras que el selenio es necesario para la producción de anticuerpos. El hierro refuerza nuestra resistencia en general, mientras que muchos procesos inmunológicos, incluida la maduración de las células T, dependen del cinc. La mayoría de los minerales se encuentran en las semillas, los frutos secos y las verduras de hoja verde.

Las proteínas son vitales para nuestra inmunidad, ya que se necesitan para la producción de todas las células, incluidos los anticuerpos y las enzimas del sistema inmunológico. Se componen de aminoácidos, que desempeñan un papel importante en la salud del sistema inmunológico. Es importante consumir abundantes alimentos ricos en proteínas, como judías, legumbres, carne y pescado. Entre otras sustancias nutritivas cruciales se incluye la fibra, que se encuentra en los alimentos integrales, las frutas y las verduras. La fibra es vital para la salud del sistema digestivo. Mantiene limpio el colon, impide la acumulación de toxinas y ayuda a prevenir la proliferación de las bacterias «malas». También son importantes las grasas sanas poliinsaturadas por su alto contenido en ácidos grasos omega-3 y omega-6, que reducen las inflamaciones y refuerzan la inmunidad en general. Hay que comer muchos frutos secos, semillas y pescado graso.

Además de las sustancias nutritivas conocidas, algunos alimentos poseen propiedades que refuerzan la inmunidad. Las verduras de hoja verde, incluido el brócoli y la col, contienen sustancias fitoquímicas llamadas glucosinolatos, que son potentes agentes anticancerígenos. La sandía, el pomelo rosa y los tomates son ricos en licopeno, otro campeón anticancerígeno, mientras que las bayas, como las fresas y las frambuesas, contienen antocianinas antiinflamatorias y ácido elágico, que ayuda a suprimir la formación de células cancerosas.

OTRAS MEDIDAS QUE REFUERZAN LA INMUNIDAD

Además de una dieta sana, hay una serie de medidas de otro orden que se pueden tomar para reforzar el sistema inmunológico. Por ejemplo, hacer más ejercicio, que facilita el flujo del líquido linfático, que transporta las células inmunológicas por todo el cuerpo. El ejercicio también estimula el riego sanguíneo y facilita el suministro de oxígeno a los diversos órganos del cuerpo. También es importante una actitud positiva y unas buenas relaciones sociales, así como dormir bien. La exposición a la luz diurna es crucial para estimular nuestro estado de ánimo y el sistema inmunológico. El yoga y la meditación liberan el estrés y nos ayudan a relajarnos.

ENEMIGOS A PRIMERA VISTA

- La falta de vitaminas y minerales
- El azúcar
- El estrés
- El tabaco
- El consumo excesivo de alcohol
- La falta de ejercicio
- La falta de sueño

boniato

SUSTANCIAS NUTRITIVAS Vitaminas B6, C, E, betacaroteno, hierro, potasio, fibra

Este tubérculo tan nutritivo y delicioso tiene un sabor único y característicamente dulce.

Los boniatos son una buena fuente de vitamina C. La variedad amarilla contiene también betacaroteno (un carotenoide de propiedades antivíricas, anticancerígenas y antioxidantes), que nuestro cuerpo convierte en vitamina A, sustancia antioxidante que ayuda a combatir el cáncer. También son ricos en vitamina E, vital para la salud de nuestra piel, ayudan a reducir el colesterol y refuerzan las funciones digestivas.

ENSALADA VERANIEGA DE BONIATOS *4 raciones*

3 boniatos cocidos con la piel y cortados en tacos
4 cebollas tiernas en rodajas
2 tallos de apio cortados
70 g de nueces picadas
1 pimiento verde troceado
200 ml de nata
2 cucharadas de vinagre de vino blanco

Colocar todos los ingredientes en una gran fuente para ensaladas y remover bien. Servir como guarnición.

Los boniatos naranjas con la piel roja contienen más betacaroteno que los blancos.

zanahoria

Las zanahorias contienen muchos elementos especialmente beneficiosos para la vista y la salud de nuestros ojos.

SUSTANCIAS NUTRITIVAS Vitamina K, betacaroteno, folato; calcio, cromo, hierro, cinc; fibra

Muy ricas en betacaroteno, que nuestro cuerpo convierte en vitamina A antioxidante. Fortalecen las células en su lucha contra los virus, el cáncer y las dolencias cardíacas. Refuerzan la vista. La vitamina K sirve para la coagulación de la sangre y la cicatrización de las heridas, y la fibra facilita la digestión y fomenta la salud del corazón. El cromo de las zanahoras estabiliza los niveles de azúcar en la sangre.

ZUMO DE ZANAHORIAS
ZUMBÓN *2 raciones*

8 zanahorias peladas
  y troceadas
4 manzanas verdes troceadas
1 trozo de jengibre tierno

Pasar todos los ingredientes
por la licuadora. Servir
inmediatamente.

Las zanahorias
crudas son difíciles
de digerir. Es mejor
rallarlas o picarlas
antes de comerlas.

003

ñame

Este tubérculo amiláceo ha sido el alimento básico de muchas culturas durante siglos.

Hay ñames amarillos, blancos y púrpura. La variedad amarilla es muy rica en betacaroteno, sustancia que el cuerpo necesita para convertirla en vitamina A que, a su vez, es vital para el fortalecimiento de las membranas, el control de los virus, la prevención del cáncer y la fortaleza ante el estrés y la polución. Contiene vitamina B1, que aumenta la energía y combate el estrés y la depresión, ambos capaces de suprimir el sistema inmunológico.

PURÉ DE ÑAME CON ESPINACAS *4 raciones*

500 g de ñames pelados
  y troceados
250 g de espinacas tiernas
3 cucharadas de aceite de oliva
1 cebolla en rodajas
sal marina y pimienta negra
  recién molida

Hervir los ñames, deshacerlos en puré y reservar. Escaldar las espinacas. Calentar el aceite en una sartén y freír la cebolla hasta que se reblandezca. Añadir el ñame y las espinacas mezclando bien. Sazonar y servir para acompañar el plato principal.

Los ñames tienen un alto contenido en fibra y contribuyen al buen funcionamiento del sistema digestivo.

patata

Este vegetal popular y versátil puede desempeñar un papel importante en la prevención de las enfermedades.

SUSTANCIAS NUTRITIVAS Vitaminas B1, B3, B6, C, folato, cobre, hierro, potasio, fibra

Las patatas son unas de las fuentes más baratas y accesibles de vitamina C, sustancia vital para nuestro sistema inmunológico. Las patatas nuevas son más ricas en este antioxidante que las viejas. La mayor parte de la fibra, que facilita la digestión y reduce el colesterol, está en la piel. Las patatas contienen vitamina B6, que contribuye a la producción de los aminoácidos que refuerzan el sistema inmunológico. Los fagocitos necesitan vitamina B6 para eliminar los materiales de deshecho de la actividad celular.

PURÉ DE AJO
4 raciones

6 patatas medianas peladas y troceadas
5 dientes de ajo
300 ml de leche o leche de soja
4 cucharadas de aceite de oliva
1 cucharadita de sal
1 pizca de pimienta negra
1 cucharadita de nuez moscada molida

Hervir las patatas y el ajo en la leche, añadiendo agua hasta cubrirlas. Añadir el aceite, la sal, la pimienta y la nuez moscada. Hacer un puré suave. Servir para acompañar el plato principal.

cebolla

Esta verdura popular fomenta la salud a la vez que aporta su rico sabor a los alimentos.

SUSTANCIAS NUTRITIVAS Vitaminas B1 y B6, componentes sulfúricos, flavonoides

Son muy ricas en cuercetina flavonoide, un poderoso antioxidante que bloquea la formación de células cancerígenas. La cuercetina tiene propiedades antiflamatorias, antibióticas y antivíricas que, como el betacaroteno, no se destruyen con la cocción. Se cree que suprimen también la actividad de la helicobacteria pilori, que causa úlceras estomacales e intoxicaciones alimenticias. Ayuda a reducir el colesterol, diluye la sangre y previene la formación de coágulos.

SOPA DE CEBOLLA *4 raciones*

1 cucharada de aceite
    de cártamo
1 cucharada de mantequilla
3 cebollas a rodajas finas
2 cucharaditas de azúcar
    moreno
2 cucharaditas de harina
    de trigo
550 ml de caldo vegetal
una ramita de tomillo
1 cucharada de salsa de soja
pimienta negra

Derretir la mantequilla y el aceite en una olla, añadir las cebollas y el azúcar, y dorar. Incorporar la harina, remover durante 1 minuto. Añadir el caldo, el tomillo, la salsa de soja y la pimienta negra. Cocer a fuego lento 20 minutos. Servir.

Las cebollas pueden producir indigestión a las personas con dolencias gastrointestinales, especialmente crudas.

pimiento rojo

Los pimientos de intenso color rojo contienen mucha vitamina C y betacaroteno.

Son una de las mejores fuentes de vitamina C, crucial para el buen funcionamiento de nuestro sistema inmunológico. Contienen flavonoides, que potencian la acción antioxidante de la vitamina C, aumentando su capacidad de proteger el cuerpo de las enfermedades. Los pimientos tienen un elevado contenido en betacaroteno, que el cuerpo convierte en vitamina A antivírica y aliada del sistema inmunológico.

SUSTANCIAS NUTRITIVAS Vitaminas B6 y C, betacaroteno, fibra

PIMIENTO RELLENO *4 raciones*

3 cucharadas de aceite
    de oliva
4 pimientos rojos limpios
200 g de tomates cherry
2 dientes de ajo picados finos
1 cebolla roja picada fina
1 manojo de albahaca tierna
    y desmenuzada
100 g de queso mozzarella
    cortado en dados
100 g de queso parmesano
    rallado
pimienta negra a discreción

Precalentar el horno a 220 °C. Verter 2 cucharadas de aceite en una fuente refractaria y colocar en el horno. Mezclar los ingredientes —excepto los pimientos— en un cuenco con 1 cucharada de aceite. Rellenar cada pimiento con la mezcla y tapar con las cabezas de los pimientos. Colocar en la fuente y hornear 20 minutos. Servir inmediatamente.

Los pimientos verdes y los amarillos contienen cantidades similares de vitamina C aunque menos betacaroteno.

007

remolacha

SUSTANCIAS NUTRITIVAS Folato, hierro, manganeso, potasio, betanina, fibra, proteínas

Útil como desintoxicante y depuradora de la sangre, la remolacha es rica en toda una variedad de sustancias nutritivas que son cruciales para el sistema inmunológico.

Descendiente de la remolacha marina, que crece en las costas mediterráneas, hace tiempo que a la remolacha se le reconocen sus cualidades medicinales. Tradicionalmente la utilizaban para depurar la sangre. Se piensa que fueron los romanos quienes la usaron primero, y que luego fue introducida como ingrediente culinario por los *chefs* franceses del siglo XVIII, que la emplearon en sus platos.

LAS PROPIEDADES INMUNOLÓGICAS DE LA REMOLACHA

Rica en hierro, la remolacha fomenta la producción de los anticuerpos que combaten las enfermedades: las células blancas (incluidos los fagocitos). Asimismo, estimula las células rojas de la sangre y facilita el suministro de oxígeno a las células. Contiene manganeso, necesario para la formación de interferón, una potente sustancia anticancerígena, y debe su color rojo al pigmento betanina, una antocianina antioxidante que ayuda a prevenir el cáncer y las dolencias cardíacas. A la remolacha se le atribuyen propiedades antioxidantes beneficiosas para la salud del hígado y los riñones, y tiene un alto contenido en fibra, importante para el buen funcionamiento del corazón y el sistema digestivo.

EL USO DE LA REMOLACHA

Tan eficaz cocida como cruda, con la remolacha fresca se pueden hacer zumos, ensaladas o sopas. Las hojas de la remolacha son ricas en vitaminas A y C, hierro y calcio; basta con hervirlas unos minutos y servirlas calientes con un poco de aceite de oliva.

ACERCA DE LA REMOLACHA

• Los antiguos griegos la valoraban mucho y la ofrecían a sus dioses.

• Aunque la remolacha no contiene toxinas potenciales, sus hojas tienen un alto contenido de ácido oxálico y deberían ser evitadas por los que padecen artritis y cálculos renales.

• Tradicionalmente, los herboristas utilizaban la remolacha como remedio contra las enfermedades de la sangre y todavía hoy es considerada como un tratamiento naturópata eficaz.

• La betanina, el pigmento que produce la coloración roja de la remolacha, puede teñir la orina de rosa. ¡Aunque parezca alarmante, es totalmente inofensivo!

SOPA DE REMOLACHA PICANTE *2 raciones*

1 cebolla pelada y picada
1 diente de ajo machacado
1 cucharadita de chile en polvo
1 cucharada de aceite de oliva
400 g de tomates en lata
2 remolachas tiernas lavadas
servir con nata

Precalentar el horno a 200 ºC. Envolver cada remolacha en papel de aluminio y hornear unos 45 minutos. Dejar enfriar, pelar y cortar en dados. Rehogar el ajo y la cebolla en el aceite de oliva a fuego lento 3 minutos. Añadir el chile en polvo y remover 1 minuto. Incorporar los tomates y hervir. Cocer a fuego lento 15 minutos antes de añadir la remolacha, removiendo. Repartir la sopa en cuencos y servir con la nata y unas gotitas de limón.

Ⓒ ⊙ ◎

tomate

SUSTANCIAS NUTRITIVAS Vitaminas B3, C y E, betacaroteno, licopeno, potasio

Existen más de siete mil variedades de tomate y todas son ricas en sustancias nutritivas.

La cocción libera el licopeno de los tomates y facilita su absorción al cuerpo.

Los tomates rebosan vitamina C, potente sustancia antivírica y crucial para todas las funciones del sistema inmunológico. Contienen también licopeno, un tipo de carotenoide que ayuda a prevenir el cáncer, especialmente de la próstata. Los tomates contienen altos niveles de betacarotina, que es necesaria para la producción de vitamina A. Esto contribuye a la buena salud del timo, que desempeña un papel vital en la respuesta inmunológica del cuerpo. Además, los tomates constituyen una fuente importante de vitamina E, que nos protege de las toxinas.

GAZPACHO *4 raciones*	
6 tomates maduros picados	2 cucharaditas de caldo vegetal
½ cebolla picada fina	en pastilla
½ pepino pelado y a dados	
1 pimiento verde a dados	
Jugo de 1 limón	Batir todo en la licuadora.
3 dientes de ajo machacados	Repartir en cuatro cuencos.
3 cucharadas de perejil tierno	Enfriar en la nevera durante
picado	30 minutos antes de servir.

ruibarbo

La medicina china utilizó durante miles de años esta potente planta contra las enfermedades.

El ruibarbo es de sabor intenso y contiene sustancias químicas antibacterianas. Es una fuente importante de vitamina C, reforzadora del sistema inmunológico, y contiene componentes que ayudan a prevenir el cáncer. El ruibarbo es rico en fibra dietética, que es útil para reducir el colesterol y prevenir las afecciones cardíacas, además de actuar como laxante natural. También contiene ácido oxálico, que facilita la desintoxicación. Los pacientes con gota y artritis deberían evitar comer ruibarbo, ya que los oxalates pueden agravar su condición.

SUSTANCIAS NUTRITIVAS Vitamina C, folato, calcio, magnesio, potasio, fibra, ácido oxálico

---

MIGAS DE RUIBARBO
4 raciones

5 tallos de ruibarbo picado
2 cucharadas de agua
125 g de azúcar de caña
175 g de harina de trigo
100 g de mantequilla sin sal

Precalentar el horno a 180 ºC (hornos de gas al 4). Colocar el ruibarbo, el agua y la mitad del azúcar en una olla y cocer 5 minutos. Entretanto, mezclar la mantequilla con la harina hasta obtener una masa con la consistencia de las migas de pan, añadir el azúcar restante y remover. Colocar el ruibarbo cocido en una fuente para horno, cubrir con las migas y hornear hasta que se doren. Servir.

✳shiitake

SUSTANCIAS NUTRITIVAS Vitaminas
B1, B2, B3, C; hierro, magnesio,
fósforo, potasio, lentinano,
proteínas

Estas preciadas setas japonesas poseen
poderosas cualidades contra las enfermedades.

Son naturales de China, Japón y Corea, donde se han usado durante miles de años para prevenir y curar enfermedades. En la
antigua China los médicos las recetaban para combatir una am-
plia gama de dolencias, desde la gripe y los resfriados hasta los
trastornos gastrointestinales. Recientemente se han realizado
numerosos estudios científicos de las propiedades inmunológicas y el poder de curación de las setas shiitake.

LAS PROPIEDADES INMUNOLÓGICAS DEL SHIITAKE

Estas setas contienen lentinano, un componente polisacárido que se ha demostrado que reduce el colesterol. Además, Japón aisló y patentó el lentinano como medicamento contra el cáncer, debido a su capacidad de estimular el sistema inmunológico en la desactivación de las células malignas. Asimismo, se piensa que el lentinano desencadena la producción de interferón, la sustancia antivírica y antibacteriana que podría contribuir en la inhibición del avance del VIH. Las setas shiitake son ricas en aminoácidos, que refuerzan la función inmunológica del cuerpo en general.

EL USO DE LAS SETAS SHIITAKE

Estas setas son más caras que la mayoría de las variedades aunque una pequeña cantidad basta para beneficiar la salud y satisfacer el apetito. Se encuentran tiernas, secas o en vinagre, y se pueden emplear en la cocina como las setas normales.

ACERCA DEL SHIITAKE

• En la antigua China las setas shiitake eran tan valoradas, que su consumo quedaba reservado para el emperador y los miembros de su familia.

• El shiitake es una de las numerosas setas medicinales que están siendo estudiadas más que cualquier otro alimento por sus propiedades inmunológicas. Otros hongos bajo estudio son los maitake y los reishi.

• Las propiedades saludables de las shiitake se ofrecen ya en forma de suplemento pero, dados sus atributos anticoagulantes, los que toman medicamentos anticoagulantes deberían evitar consumirlas en exceso.

FIDEOS DE SHIITAKE *4 raciones*

250 g de fideos de huevo gruesos	2 dientes de ajo machacados	en un cuenco la salsa de soja,
3 cucharadas de salsa de soja	150g de setas shiitake tiernas	la salsa de ostras y el azúcar.
1 cucharada de salsa de ostras	a rodajas	Calentar el aceite en un wok.
1 cucharadita de azúcar moreno	6 cebollas tiernas picadas	Freír removiendo los chiles, el
1 cucharada de aceite de sésamo		tofu, el jengibre y el ajo durante
2 chiles rojos pequeños		2 minutos. Añadir los fideos,
desgranados y a rodajas	Cubrir los fideos con agua	las setas, la mezcla de salsas
1 paquete de tofu a dados	hirviendo y dejar reposar	y las cebollas tiernas. Mezclar
1 pieza de jengibre tierno rallado	5 minutos para que se	y servir inmediatamente.
	reblandezcan. Escurrir. Mezclar	

© ◎

calabaza

SUSTANCIAS NUTRITIVAS Vitamina C, betacaroteno, fibra

Esta famosa fruta vegetal de invierno rebosa sustancias químicas contra el cáncer.

Las calabazas de pulpa anaranjada contienen altos niveles de carotenoides que ayudan a prevenir determinadas formas de cáncer así como las enfermedades cardíacas. Las calabazas son también ricas en vitamina C, sustancia antioxidante necesaria para la buena función del sistema inmunológico y que ayuda a combatir los virus del resfriado y fomenta la resistencia general del organismo a las enfermedades. Además, las calabazas contienen fibra, que reduce el colesterol y fomenta la buena digestión facilitando la eliminación de los residuos.

Las calabazas de color naranja contienen los niveles más altos de carotenoides.

FRITURA DE CALABAZA *2 raciones*

1 calabaza mediana cortada en rodajas gruesas
175 g de harina de trigo integral
½ cucharadita de sal
½ cucharadita de levadura en polvo
2 cucharaditas de comino molido
la yema y la clara de 1 huevo
175 ml de agua
1 cebolla picada

2 dientes de ajo machacados
2 cucharadas de aceite de oliva

Hervir la calabaza al vapor durante 10 minutos y dejar enfriar. En un cuenco mezclar la harina, la sal, la levadura en polvo y el comino. Añadir la yema de huevo y el agua poco a poco, removiendo hasta formar una masa suave.

Incorporar la cebolla y el ajo, mezclar con la clara de huevo y añadirlo a la mezcla anterior. Calentar el aceite en una sartén, untar las rodajas de calabaza con la mezcla y freírlas de una en una, volteándolas regularmente, hasta que estén doradas y crujientes. Servir caliente.

chile

Los chiles picantes son analgésicos naturales.

Incluso en pequeñas cantidades, los chiles constituyen un componente útil de nuestra dieta. Un chile rojo pequeño contiene altos niveles del carotenoide betacaroteno, sustancia antivírica, anticancerígena y antioxidante, parte de la cual nuestro cuerpo convierte en vitamina A. Ambas sustancias ayudan a prevenir los daños causados por las toxinas, a la vez que combaten el cáncer y el envejecimiento prematuro. Los chiles contienen también capsaicina, sustancia química vegetal que posee propiedades analgésicas naturales y que se puede emplear contra el dolor de cabeza, la artritis y la sinusitis.

SUSTANCIAS NUTRITIVAS Vitamina C, betacaroteno; capsaicia; fibra

---

ARROZ PICANTE *2 raciones*

200 g de arroz de grano largo
la piel de 1 lima
1 diente de ajo pelado
1 chile rojo troceado
la piel y el jugo de 2 limones
1 cucharada de mostaza
4 cucharadas de aceite de oliva

Colocar el arroz, la piel de lima y el ajo en una olla, cubrir con agua, llevar a ebullición y dejar a fuego lento hasta que el arroz esté hecho. Escurrir y retirar la piel de lima y el ajo. Mezclar los ingredientes y añadirlos al arroz. Remover. Servir para acompañar el plato principal.

Los chiles poseen propiedades que fomentan el buen humor.

*aguacate

SUSTANCIAS NUTRITIVAS Vitaminas B1, B2, B3, B5, E, K, biotina, carotenoides, folato; potasio, cinc; betasitosterol, glutationa; ácido graso omega 6

Es una de las pocas frutas que contiene grasa y tiene muchas propiedades beneficiosas para la salud.

Estrictamente hablando, el aguacate es una fruta aunque se suele emplear como un vegetal. Es natural de América Central y lo descubrieron los españoles en el siglo XVI. Ahora es popular en todo el mundo y se cultiva en distintas regiones tropicales. De suave textura y sabor cremoso, el aguacate es mejor cuando está maduro.

LAS PROPIEDADES INMUNOLÓGICAS DEL AGUACATE

Contiene grasa monoinsaturada, que reduce el colesterol. Es fuente de ácido linoleico (o ácido graso omega 6), que nuestro cuerpo convierte en ácido gama linoleico, sustancia anticoagulante que alivia las inflamaciones y equilibra el azúcar en la sangre. Es rico en vitamina E, un antioxidante que neutraliza los efectos perjudiciales de las toxinas y refuerza la resistencia a las infecciones. Sus niveles en vitamina B ayudan a las células inmunológicas a destruir los invasores dañinos, como hace la glutationa, sustancia poderosa que refuerza la acción de las células asesinas del cuerpo. Por último, contiene la sustancia química vegetal betasitosterol, especialmente beneficiosa para la glándula prostática.

EL USO DEL AGUACATE

Los aguacates se recogen verdes y necesitan una semana para completar su maduración. Podemos acelerar el proceso guardándolos en una bolsa de papel con un plátano.

ACERCA DEL AGUACATE

• Esta fruta se conoce con nombres distintos, como pera de caimán o pera de mantequilla. Consiguió este apelativo por su textura suave, aunque el nombre original que le dieron los españoles fue pera de caimán.

• Se puede evitar que los aguacates partidos se vuelvan oscuros rociando las superficies expuestas con jugo de limón y conservando el hueso.

• El aguacate sirve también como eficaz tratamiento cutáneo. Basta con hacer una papilla con la pulpa y cubrir con ella la cara durante 10 minutos para nutrir el cutis.

• Es probable que las personas alérgicas al látex tengan también alergia al aguacate.

GUACAMOLE *para 1 cuenco grande*

2 aguacates maduros pelados y deshuesados
el jugo de 1 lima
2 dientes de ajo machacados
1 cebolla mediana picada fina
2 tomates pelados y picados

1 pequeño chile rojo desgranado y picado fino
1 cucharada de cilantro tierno picado fino

Para una masa espesa, elaborar a mano un puré con la pulpa de los aguacates y el jugo de lima hasta obtener una masa suave. Añadir el resto de los ingredientes y mezclar bien. Para una textura más suelta, mezclar los ingredientes en la batidora. Servir para untar verduras crudas.

espinaca

SUSTANCIAS NUTRITIVAS Vitaminas B2, B3, C y E, carotenoides, folato, calcio, magnesio, cinco, fibra

Esta versátil verdura es muy popular y posee grandes propiedades anticancerígenas.

Las espinacas son ricas en carotenoides, que el cuerpo convierte en vitamina A, el antioxidante que combate las infecciones. Esta verdura ayuda a prevenir el cáncer de pulmón, de mama y del cuello del útero, así como las enfermedades cardíacas. Su contenido en vitamina C mantiene sanas las membranas mucosas y de la piel, mientras que su vitamina B refuerza las energías y el sistema nervioso. Son ricas en cinc, necesario para la actividad de las células T.

RISOTTO *4 raciones*

1 cucharada de aceite de oliva
55 g de mantequilla sin sal
2 cebollas picadas finas
275 g de arroz arborio
1 vaso pequeño de vino blanco
850 ml de caldo vegetal
4 manojos gruesos de
espinacas tiernas lavadas
100 g de parmesano rallado

Calentar el aceite y la mantequilla, y dorar las cebollas. Añadir el arroz, removiendo 1 minuto. Añadir el vino y dejar que se absorba. Verter caldo hasta cubrir la mezcla y dejar que se absorba. Seguir vertiendo caldo hasta que se consuma y el arroz esté hecho. Añadir las espinacas removiendo y cocer un poco. Retirar del fuego y espolvorear con queso. Servir.

Es mejor comer las espinacas crudas o poco cocidas, ya que la cocción elimina los carotenoides y la vitamina C.

espárrago

Esta verdura primaveral delicada y exquisita es una fuerza poderosa en la lucha por la salud.

Los espárragos tienen propiedades diuréticas naturales, que ayudan al cuerpo a eliminar las toxinas. Sus cualidades depuradoras y antiinflamatorias los hacen útiles para combatir la indigestión, el síndrome de irritación intestinal y la artritis reumatoide. Los espárragos son fuente rica de folato, betacaroteno, vitamina C y glutationa, el antioxidante que reduce los riesgos de dolencias cardíacas y de cáncer. También son ricos en rutina, flavonoide necesario para la salud del riego sanguíneo, y esparragina, un aminoácido desintoxicante.

La parte más tierna de la planta de los espárragos son las puntas. Hay que hervirlos poco al vapor para conservar su contenido en vitaminas.

SUSTANCIAS NUTRITIVAS Vitaminas B3 y C, betacaroteno, folato, potasio, cinc, esparragina, flavonoides, fibra

PUNTAS DE ESPÁRRAGO AL HORNO *4 raciones*

1 manojo de espárragos
2 cucharadas de aceite de oliva
sal marina y pimienta negra
servir con parmesano rallado

Colocar los espárragos en una fuente y rociarlos con el aceite. Salpimentar. Cocer en el horno a baja temperatura durante 15 minutos, hasta que los espárragos se reblandezcan. Cubrir con el queso parmesano rallado y servir.

016

alcachofa

Esta atractiva verdura es una variedad de cardo y pertenece a la familia de las asteráceas.

SUSTANCIAS NUTRITIVAS Vitaminas B3 y B5, biotina, folato, potasio, cinc, cinarina

Tradicionalmente, las alcachofas se han empleado como remedio contra la resaca, porque contienen cinarina, componente que favorece el hígado. Esta sustancia tiene cualidades desintoxicantes y se cree que alivia los síntomas del síndrome de irritación intestinal. Sus altos niveles en vitamina B refuerzan las energías del organismo y la agilidad mental, y desempeñan un papel importante en el fortalecimiento de nuestro sistema inmunológico.

ENSALADA DE ALCACHOFAS *4 raciones*

8 corazones de alcachofa
4 tomates grandes troceados
1 cebolla roja cortada en rodajas finas
½ pimiento verde picado
100g de olivas verdes
1 diente de ajo machacado
6 cucharadas de aceite de oliva
4 cucharadas de jugo de limón
1 cucharadita de mostaza de Dijon
sal y pimienta

Retirar las hojas exteriores de las alcachofas y cortar el extremo de las interiores. Hervir los corazones unos 20 minutos. Lavar con agua fría y mezclar en un cuenco grande con los tomates, la cebolla, el pimiento verde y las olivas. Mezclar el resto de los ingredientes para el aliño, verter en las verduras y servir.

col de Bruselas

Esta pariente de la col es eficaz combatientes contra el cáncer gracias a su alto nivel de desintoxicantes.

Las coles de Bruselas son de las mejores fuentes de glucosinolatos, que ayudan a prevenir el cáncer. Tienen un alto contenido en vitamina C y folato, que refuerzan la capacidad del organismo de sanar. Contienen, además, vitamina B5, estimulante inmunológico que promueve la producción de anticuerpos. Ricas en fibra, mantienen sano el sistema digestivo y reducen el colesterol.

Las coles de Bruselas deben su nombre a la capital de Bélgica, donde fueron cultivadas por primera vez en el siglo XVI.

SUSTANCIAS NUTRITIVAS Vitaminas B2, B5, B6 y C, folato, betacaroteno, potasio, glucosinolatos, fibra

REVOLTILLO DE COLES DE BRUSELAS *4 raciones*

2 cebollas a rodajas
150 g de almendras escaldadas y ligeramente tostadas
4 cucharadas de aceite de oliva
600 g de coles de Bruselas peladas y troceadas
pimienta negra a discreción

Freír ligeramente las cebollas y las almendras hasta que se reblandezcan las cebollas. Escaldar las coles 1 minuto en agua hirviendo y poca sal, y añadirlas a la sartén con las cebollas y las almendras. Cocer a fuego lento hasta que las coles se reblandezcan. Sazonar con pimienta negra y servir.

C O ⇕ ♡

ortiga

SUSTANCIAS NUTRITIVAS Vitaminas B1, B2, B3, B5, C y K, betacaroteno, calcio, hierro, magnesio, potasio

Además de urticante, la ortiga está llena de minerales y vitaminas aliadas de la salud.

Las ortigas son excelentes depuradoras. Sus propiedades diuréticas ayudan al cuerpo a eliminar los residuos relacionados con dolencias como la gota, el acné y la artritis. Ricas en sustancias nutritivas, fortalecen el sistema inmunológico y, por lo tanto, ayudan a aliviar las enfermedades crónicas y a recuperarse de las enfermedades. Sus componentes antioxidantes hacen de las ortigas un eficaz combatiente contra el cáncer.

INFUSIÓN DE ORTIGA CON LIMÓN   *1 taza*

2 extremos de tallo de ortiga tierna
1 trozo grueso de limón
1 taza de agua hirviendo

Lavar los tallos de ortiga (con guantes) y colocarlos en un colador sobre un tazón. Verter el agua hirviendo y añadir el limón. Reposar 5 minutos y beber fría.

Hay que cocer siempre las ortigas antes de comerlas y llevar guantes para manipular las hojas crudas.

berro

Esta hoja de sabor intenso constituye un poderoso estimulante de nuestro sistema inmunológico.

Los berros son ricos en glucosinolatos, sustancias químicas vegetales que refuerzan la actividad de las enzimas que previenen el cáncer. Contienen las vitaminas antioxidantes cruciales para el pleno funcionamiento del sistema inmunológico, además de vitamina B6, que refuerza la acción de los fagocitos, las células blancas responsables de depurar las materias residuales de nuestro cuerpo. Abundan en manganeso y hierro, minerales que protegen al organismo de las infecciones.

Tradicionalmente, los berros eran empleados para fomentar el metabolismo y desintoxicar el cuerpo.

SUSTANCIAS NUTRITIVAS Vitaminas B3, B6, C, E y K, betacaroteno (y otros carotenoides), calcio, manganeso, hierro, cinc, glucosinolatos, fibra

MOJO DE BERROS
1 cuenco

1 gran manojo de hojas de berro picadas
1 cebolla picada
1 aguacate maduro pelado, deshuesado y cortado en rodajas
el jugo de ½ limón
una pizca de caldo vegetal en polvo
1 diente de ajo

Colocar todos los ingredientes en la licuadora y batir hasta obtener una mezcla suave. Servir para untar verduras crudas.

endibia

SUSTANCIAS NUTRITIVAS Vitamina B1, folato, betacaroteno, hierro, fósforo, fibra

Buenas estimulantes de la digestión, en su origen eran cultivadas por su raíz, que se añadía al café.

Las endibias contienen sustancias amargas que estimulan el sistema digestivo y desintoxican el hígado. Son ricas en beta-caroteno, que nuestro cuerpo convierte en vitamina A, el antioxidante que ayuda a prevenir el cáncer y posee grandes propiedades antivíricas. También contienen vitamina B1, importante refuerzo de las energías del organismo, que mantiene sanas las membranas mucosas y los nervios. Las endibias constituyen una buena fuente de fibra, que ayuda a regular la eliminación de residuos y a reducir los niveles de colesterol.

ENDIBIAS *2–3 raciones*

2 endibias troceadas
1 manzana roja a dados
2 cucharadas de jugo de limón
2 cucharaditas de aceite
sal y pimienta negra
1 cucharada de perejil
2 cucharadas de vinagre
  de vino blanco
agua

Colocar todos los ingredientes —excepto el vinagre y el perejil— en una olla grande y hervir a fuego lento hasta que se evapore el agua. Escurrir y espolvorear con el vinagre y el perejil picado. Servir para acompañar el plato principal.

coliflor

De posible origen chino, la coliflor es una fuente importante de sustancias fitoquímicas.

Como otros miembros de la familia de las crucíferas, la coliflor contiene glucosinolatos, sustancias químicas vegetales que ayudan a prevenir el cáncer, especialmente de pulmón, mama, estómago y colon. Contiene, además, vitamina C y cinc, ambos cruciales para el fortalecimiento del sistema inmunológico. La coliflor es una fuente importante de folato, vital para la buena salud del sistema reproductivo, y vitamina B5, necesaria para la producción de anticuerpos.

SUSTANCIAS NUTRITIVAS Vitaminas B3, B5, B6 y C, folato, calcio, potasio, cinc, glucosinolatos, fibra

La coliflor posee propiedades antialergénicas que alivian el asma y las alergias cutáneas.

COLIFLOR AL ESTILO INDIO *4 raciones*

1 cebolla picada fina
1 cucharada de aceite de oliva
1 diente de ajo machacado
1 cucharadita de jengibre molido
1 cucharadita de cilantro molido
1 cucharadita de cúrcuma
1 coliflor mediana partida en floretes
2 cucharadas de agua

Freír la cebolla y el aceite 5 minutos. Añadir el ajo, las especias, la coliflor y el agua. Cubrir y cocer la coliflor a fuego lento. Ir removiendo hasta que ésta se seque. Servir para acompañar el plato principal.

*col rizada

SUSTANCIAS NUTRITIVAS Vitaminas B2, B3, B6, C, E y K, betacaroteno, folato, calcio, hierro, magnesio, cinc, flavonoides, glucosinolatos, fibra

Rebosante de vitaminas y sustancias fitoquímicas, es un gran refuerzo del sistema inmunológico.

Se cree que la col rizada es natural de las regiones mediterráneas. Como la col y las coles de Bruselas, es miembro de la familia de las crucíferas y comparte con ellas la capacidad de retener grandes cantidades de agua y sustancias nutritivas.

LAS PROPIEDADES INMUNOLÓGICAS DE LA COL RIZADA

Contiene elevados niveles de glucosinolatos, sustancias que estimulan la desintoxicación, reparan las enzimas del organismo y suprimen la división de las células cancerígenas. También contiene flavonoides, necesarios para la salud del riego sanguíneo y la estimulación de la respuesta inmunológica, así como esteroles vegetales, que controlan el colesterol. Es rica en vitamina B, que refuerza las energías del organismo y la capacidad del sistema inmunológico de barrer las células invasoras. Contiene altos niveles de vitamina K, que promueve la coagulación de la sangre y la cicatrización de las heridas, así como importantes cantidades de minerales inmunizadores, como el hierro y el cinc.

EL USO DE LA COL RIZADA

Se puede ingerir cruda, al vapor o frita ligeramente. Es verdura de invierno y constituye un componente nutritivo de nuestra dieta durante los meses más fríos.

ACERCA DE LA COL RIZADA

- Esta verdura, como otros miembros de la familia de las crucíferas, posee propiedades hormonales equilibrantes, que ayudan a prevenir el cáncer de mama y de ovarios.
- Las plantas de la familia de las crucíferas posiblemente constituyan los alimentos vegetales más importantes en lo que se refiere a la prevención del cáncer, debido a su alto contenido en glucosinolatos.
- En algunas partes de Europa conocen la col rizada como «borecole», palabra derivada del término holandés que significa «col de campesino».
- Las sustancias nutritivas presentes en la col rizada son especialmente beneficiosas para la piel, fomentan la cicatrización de las heridas y refuerzan la salud de las membranas celulares.

COL RIZADA CON PEREJIL TIERNO *4 raciones*

1 kg de col rizada
2 cucharadas de aceite de oliva
sal y pimienta negra
3 cucharadas de perejil tierno picado
½ cucharadita de nuez moscada molida

Lavar y partir las hojas de la col. Calentar el aceite en una olla, añadir la col rizada, cubrir y cocer a fuego lento hasta que las hojas se reblandezcan. Salpimentar, añadir el perejil y la nuez moscada, y remover 1 minuto. Servir.

brócoli

SUSTANCIAS NUTRITIVAS Vitaminas B3, B5, C y E, folato, betacaroteno, calcio, hierro, cinc, sulforafanos

El brócoli es una de las armas más eficaces contra las enfermedades.

El brócoli es un arsenal de vitamina C, un antioxidante crucial para la respuesta inmunológica de nuestro organismo. También es una fuente rica en carotenoides, importantes para la glándula del timo que regula el sistema inmunológico, y rebosa vitamina B, necesaria para la buena salud de los sistemas inmunológico y nervioso. El brócoli contiene sulforafanos, poderosas sustancias químicas anticancerígenas que combaten la formación de tumores. Asimismo, tiene un alto contenido en fibra, vital para la salud del sistema digestivo, y posee propiedades desintoxicantes, que ayudan a depurar el hígado.

Comiendo brócoli dos o tres veces a la semana prevenimos el cáncer, las enfermedades cardíacas y los resfriados.

REVOLTILLO DE BRÓCOLI *2 raciones*

2 cucharadas de aceite de sésamo
1 trozo de jengibre tierno rallado
1 cabeza de brócoli lavada y picada
1 diente de ajo machacado

Calentar un poco el aceite, añadir el jengibre y el brócoli. Freír removiendo durante 3 minutos antes de añadir el ajo. Seguir cociendo 2 minutos más. Servir inmediatamente como acompañamiento.

024

col de Milán

Sus hojas son un poderoso desintoxicante.

La col de Milán contiene vitamina C, el antioxidante necesario para la buena función general del sistema inmunológico, así como betacaroteno, que nuestro organismo convierte en vitamina A, nuestra aliada contra el cáncer. La col de Milán representa una buena fuente de vitamina B3 —necesaria para la energía y la salud de los nervios y los músculos— y de folato, sustancia crucial para el sistema reproductivo. Contiene, asimismo, glucosinolatos, sustancias químicas vegetales con enzimas poderosas que, según los estudios, ayudan a protegernos del cáncer.

La col de Milán es rica en hierro y facilita el transporte del oxígeno por el riego sanguíneo.

SUSTANCIAS NUTRITIVAS Vitaminas B3 y C, folato, betacaroteno, calcio, hierro, potasio, glucosinolatos, fibra

COL DE MILÁN DULCE
4 raciones

3 cucharadas de aceite de oliva
1 cucharada de granos de mostaza
1 col de Milán desmenuzada
2 dientes de ajo machacados
2 cucharadas de coco en polvo
1 cucharada de jarabe de arce
2 cucharadas de zumo de limón
sal y pimienta negra

Calentar el aceite en un wok, añadir los granos de mostaza y remover hasta que revienten. Añadir la col y el ajo, y freír. Añadir el coco, el jarabe de arce y el zumo de limón. Freír removiendo durante 1 minuto y sazonar. Servir como guarnición.

025

rúcula

SUSTANCIAS NUTRITIVAS Vitamina C, betacaroteno, aceites esenciales, fibra, sulforafano

Esta hoja picante rebosa sustancias nutritivas esenciales para la lucha contra las enfermedades.

La rúcula contiene altos niveles de vitamina C, poderosa sustancia antioxidante que ayuda al cuerpo a combatir las toxinas y refuerza su resistencia a los virus y otras infecciones. También es rica en betacaroteno, que nuestro organismo convierte en la anticancerígena vitamina A. La rúcula presenta altas concentraciones de sulforafano, sustancia conocida por sus poderosas propiedades anticancerígenas, y es una fuente importante de fibra.

TOSTADAS CON RÚCULA Y CARNE *4 raciones*

4 rebanadas de pan integral
150 g de mantequilla
2 cucharadas de perejil tierno picado
4 filetes delgados
2 tomates grandes a rodajas
hojas de rúcula lavadas

Tostar el pan por ambos lados. Mezclar la mantequilla con el perejil y untar las tostadas. Gratinar los filetes 1 minuto por cada lado y colocarlos sobre las tostadas. Cubrir con las rodajas de tomate y las hojas de rúcula, y servir.

Podemos cocinar la rúcula un poco, aunque es más frecuente consumirla cruda con la ensalada.

kiwi

Contiene más vitamina C que las naranjas y es un gran aliado del sistema inmunológico.

Sus propiedades inmunológicas se deben, sobre todo, a que un único kiwi contiene aproximadamente el 120 por ciento de la dosis diaria recomendada y, a diferencia de muchas otras frutas, sus nutrientes permanecen intactos mucho tiempo después de su recolección. Tras seis meses de almacenamiento el kiwi sigue manteniendo el 90 por ciento de su vitamina C. Es además una fuente importante de fibra, que necesitamos para la eficacia de nuestro sistema digestivo y la buena salud de nuestro corazón.

SUSTANCIAS NUTRITIVAS Vitaminas B3 y C, betacaroteno, fibra

ENSALADA DE FRUTAS TROPICALES *4 raciones*

4 kiwis pelados y troceados
1 mango pelado, deshuesado y cortado a dados
1 papaya pelada, desgranada y cortada en rodajas
8 lychees pelados, deshuesados y partidos en dos
1 piña pelada y cortada a dados
la pulpa de 4 frutas de la pasión

Mezclar todos los ingredientes en una gran ensaladera. Dejar reposar durante 1 hora para que se mezclen mejor los sabores y servir.

La fruta del kiwi puede producir reacciones alérgicas a algunos niños.

piña

SUSTANCIAS NUTRITIVAS Vitaminas
B1, B2 y C, manganeso,
bromelaína, fibra

La piña es rica en bromelaína, la enzima que
ayuda a reducir las inflamaciones e hinchazones.

Las piñas frescas contienen bromelaína, enzima que digiere las
proteínas, refuerza el sistema digestivo e inhibe la acción de los
agentes inflamatorios, aliviando así la sinusitis, la artritis reumatoide y la gota, y acelerando la recuperación tras traumatis-
mos e intervenciones quirúrgicas. La piña es también fuente
excelente de manganeso, factor complementario esencial en
una serie de enzimas e importante para las
defensas antioxidantes y la producción de
energía. Asimismo, es rica en vitamina C,
que refuerza el sistema inmunológico y
nos defiende de los radicales libres.

ENSALADA DE PIÑA Y PEPINO *2 raciones*

**300 g de pepino pelado y
cortado en rodajas finas
300 g de piña fresca pelada,
deshuesada y picada
2 cucharadas de mayonesa
mezclada con jugo de limón
hojas de menta tierna**

Colocar el pepino en un colador,
salar y dejar 4 minutos. Aclarar y
secar. Mezclar en una ensaladera
el pepino y la piña. Enfriar en la
nevera 2 horas. Añadir la
mayonesa y remover. Servir con
la menta.

028

papaya

Esta dulce fruta tropical es rica en carotenoides y antioxidantes.

Es una fuente excelente de vitamina C y betacaroteno. Además de reforzar el sistema inmunológico, estas sustancias antioxidantes evitan la acumulación de placa en las paredes de los vasos sanguíneos y nos protegen de las enfermedades cardiovasculares. La papaya también es rica en fibra, que reduce los niveles de colesterol y ayuda a prevenir el cáncer de colon. Contiene una enzima que digiere proteínas, la papaína, que facilita la digestión y reduce las inflamaciones.

SUSTANCIAS NUTRITIVAS Vitamina C, carotenoides, folato, potasio, papaína, fibra

PAPAYA ASADA CON JENGIBRE *2 raciones*

3 papayas desgranadas
55 g de mantequilla sin sal
5 trozos de jengibre en lata picado
el jugo y la ralladura de 1 lima
1 cucharada de jarabe de jengibre en lata

Precalentar el horno a 180 °C. Colocar las papayas en una fuente refractaria untada con aceite. Mezclar la mantequilla y el jengibre con la mitad del zumo y la piel de lima y rellenar con la mezcla. Rociar con el zumo y la ralladura de lima restantes y con el jarabe de jengibre. Asar hasta que se reblandezcan. Servir con yogur bio natural.

albaricoque

SUSTANCIAS NUTRITIVAS
Vitaminas B2, B3, B5 y C,
betacaroteno, calcio, hierro, cinc,
fibra

MIGAS DE ALBARICOQUE
4 raciones

**950 g de albaricoques pelados,
deshuesados y cortados por
la mitad
55 g de azúcar de caña
100 g de harina de trigo integral
25 g de copos de avena
2 cucharadas de azúcar de
Demerara
55 g de mantequilla sin sal
cortada en trozos pequeños**

Precalentar el horno a 190 ºC.
Trocear los albaricoques y
colocarlos en una fuente
refractaria. Espolvorear con el
azúcar. En otra fuente mezclar el
resto de los ingredientes y
trabajarlos hasta obtener una
masa similar a las migas. Cubrir
los albaricoques con la mezcla y
asar 40 minutos. Servir con nata.

Esta fruta nutritiva tiene un sabor delicioso, tanto
fresca como desecada.

Con su alto contenido en fibra, el albaricoque es desintoxicante
y acelera la eliminación de los productos residuales del cuerpo.
Es rico en betacaroteno, necesario para la formación de la vitamina A que nos protege del cáncer, y contiene vitamina B5, que
es crucial para la producción de anticuerpos. También es una
fuente de vitamina C, esencial para todas las funciones inmunológicas. Es un excelente proveedor
de hierro, que refuerza
nuestra resistencia
a las enfermedades.

Hay que evitar los
albaricoques secos
de color naranja
intenso, puesto
que han sido
tratados con sulfuro.

guayaba

Esta delicia tropical de aroma intenso es excepcionalmente alta en vitamina C y constituye un eficaz desintoxicante.

SUSTANCIAS NUTRITIVAS Vitaminas B3 y C, betacaroteno, fibra

La guayaba debe su intenso color anaranjado al betacaroteno, que nuestro organismo convierte en vitamina A. Además de mantener a raya los virus y ayudar a prevenir el cáncer, la vitamina A es un poderoso agente antioxidante que, en colaboración con la vitamina C, barre los radicales libres perjudiciales y mantiene sanos los órganos del cuerpo. La guayaba es rica en fibra y posee propiedades desintoxicantes. Además, ayuda a calmar los trastornos autoinmunes, como la artritis reumatoide.

ZUMO DE GUAYABA *2 raciones*

1 guayaba pelada y a dados
1 naranja pequeña pelada
y troceada
2 manzanas verdes a dados
1 rodaja de lima para adornar

Pasar los ingredientes por la licuadora. Servir con hielo y la rodaja de lima como guarnición.

La guayaba actúa como estimulante del sistema inmunológico.

melón cantalupo

SUSTANCIAS NUTRITIVAS Vitaminas B3 y C, betacaroteno

Este melón estival debe su nombre a la ciudad de Cantalupo, cerca de Roma.

El melón cantalupo es una de las fuentes más ricas en betacaroteno, que nuestro cuerpo convierte en vitamina A, sustancia antioxidante crucial para la producción de linfocitos, las células que combaten las enfermedades. Esta fruta es también rica en vitamina C, que necesitamos para todas nuestras funciones inmunológicas y para protegernos de los resfriados, el cáncer y las enfermedades cardíacas. Su elevado contenido en agua le otorga ciertas propiedades diuréticas, que ayudan a desintoxicar el cuerpo.

ENSALADA ROJA DE MELÓN *4 raciones*

2 melones cantalupos pelados, desgranados y cortados en dados
1 pomelo rojo dividido en segmentos
10 frambuesas
1 pieza de jengibre tierno rallado

Mezclar los trozos de melón y de pomelo en una gran ensaladera y dejar reposar 30 minutos. Servir en cuatro cuencos con las frambuesas y el jengibre.

032

fruta de la pasión

Rica en vitaminas, esta fruta de aroma intenso
y semillas comestibles refuerza el organismo.

SUSTANCIAS NUTRITIVAS Vitaminas
B2, B3 y C, betacaroteno, hierro,
magnesio, fósforo, cinc, fibra

La fruta de la pasión es una fuente de vitamina C, que combate
los virus y las bacterias. Contiene, además, carotenoides, que
nuestro cuerpo convierte en vitamina A, importante aliada contra el cáncer, mientras
que la vitamina B ayuda a mantener
sanos los músculos y el sistema nervioso, y a reforzar nuestros niveles
de energía. Contiene fibra, que es muy
importante para el sistema digestivo y
el corazón.

**La fruta de la pasión
contiene sustancias
que alivian
la depresión
y la ansiedad.**

SORBETE DE FRUTA DE LA PASIÓN *4 raciones*

100 ml agua
125 g azúcar moreno
400 ml de fruta de la pasión

Colocar el agua y el azúcar en
una gran olla a fuego lento
removiendo hasta que el azúcar
se disuelva. Llevar a ebullición,

cocer a fuego lento
1 minuto. Retirar y dejar enfriar.
Una vez fría, añadir la fruta
de la pasión y remover. Colocar
en un recipiente de plástico
y meter en el congelador hasta
que esté sólido. Remover
antes de servir.

plátano

SUSTANCIAS NUTRITIVAS Vitaminas B3, B5, B6 y C, biotina, magnesio, manganeso, potasio, fibra

La más famosa de las frutas tropicales contiene azúcares que refuerzan nuestras energías.

Los plátanos contienen altos niveles de vitamina B, necesarios para producir energía. Esta incluye la vitamina B5, que refuerza el sistema inmunológico, y la B6, que facilita la eliminación de residuos. El plátano es también una buena fuente de vitamina C, aliada de las funciones inmunológicas, y de manganeso, que colabora con esta vitamina en la producción de interferón, la sustancia que combate los virus. Son, además, ricos en fibra y en potasio, que regula los fluidos corporales y las funciones del sistema nervioso.

PLÁTANOS CON LIMA

2 raciones

**115 g de azúcar moreno
zumo y ralladura de 2 limas
100 ml de agua
4 plátanos troceados**

Colocar en una olla la mitad del azúcar, el zumo, la ralladura de lima y el agua. Hervir y cocer a fuego lento 10 minutos, hasta que se espese. Colocar los plátanos sobre papel de aluminio, espolvorear con el azúcar y gratinar, volteándolos, hasta que se doren y reblandezcan. Rociar con el jarabe y servir.

034

uva

Esta fruta dulce y jugosa es depuradora
y desintoxicante.

SUSTANCIAS NUTRITIVAS Vitaminas
B3 y B6, biotina, potasio, selenio,
cinc, antocianinas, ácido elágico

Las uvas son ricas en antocianinas
antioxidantes, que ayudan a fortalecer los vasos capilares. Son, por lo
tanto, un alimento excelente para
la circulación y la salud del corazón.
Su alto contenido en antioxidantes
ayuda a eliminar los radicales libres perjudiciales y a desintoxicar a
fondo la piel, el hígado, los riñones y
los intestinos. Las uvas contribuyen a
la estabilización de la respuesta inmunológica moderando las reacciones alérgicas. Asimismo, contienen ácido elágico, que ayuda a prevenir el cáncer.

Las uvas rojas
tienen un nivel
mucho más alto de
antocianinas que
las uvas blancas.

PREPARADO DE UVAS *1-2 raciones*

20 granos de uva sin semillas
6 tallos de apio
un manojo de berros

Pasar los ingredientes por la
licuadora por separado. Mezclar
bien y tomar inmediatamente.

manzana

SUSTANCIAS NUTRITIVAS Vitamina C, ácido málico, flavonoides, fibra

La manzana es una poderosa depuradora, rica en fibra que ayuda a eliminar las toxinas del cuerpo.

Las manzanas ejercen un efecto depurador en el organismo, en gran medida, porque contienen una fibra denominada pectina, que se adhiere al colesterol, las toxinas y los metales pesados y acelera su excreción. La cuercetina, sustancia flavonoide presente en las manzanas, ejerce una acción antiinflamatoria y ayuda a aliviar las reacciones y dolencias alérgicas, como la artritis, mientras que su contenido en ácido málico fomenta la eficaz administración de las energías del cuerpo. Los estudios demuestran que el consumo de manzanas ayuda a regular la función pulmonar.

MANZANAS AL HORNO *2 raciones*

55 g de mantequilla sin sal
4 cucharaditas de pasas
4 cucharaditas de almendras
   peladas
1 cucharadita de canela molida
1 cucharadita de nuez moscada
2 manzanas para asar peladas
   y sin los corazones
2 cucharadas de queso fresco
   natural para acompañar

Precalentar el horno a 180 °C (hornos de gas al 4). Mezclar en una fuente todos los ingredientes excepto las manzanas. Dividir la mezcla en dos y rellenar las manzanas. Envolver cada manzana en papel de aluminio y asar durante 20 minutos. Servir cubriéndolas con el queso fresco.

mango

Considerada la más deliciosa de las frutas tropicales, el mango es un arsenal de nutrientes.

El mango es una fuente excelente de betacaroteno, el precursor de la vitamina A antivírica. También contiene altos niveles de vitamina C, que es crucial para el buen funcionamiento del sistema inmunológico en general. Esta fruta exótica de popularidad creciente es una de las pocas fuentes frutales de vitamina E, importante antioxidante que ayuda a combatir los radicales libres perjudiciales y refuerza la acción de los anticuerpos contra las enfermedades.

SUSTANCIAS NUTRITIVAS Vitaminas B3, C y E, betacaroteno, fibra

El mango es perfecto para postres y macedonias de frutas, aunque también se puede emplear en recetas sabrosas.

CREMA DE MANGO
2 raciones

1 mango pelado, deshuesado y troceado
½ piña tierna pelada y picada
10 fresas limpias
75 ml de jugo de piña
75 ml de yogur bio natural

Batir todos los ingredientes en la licuadora hasta obtener una crema suave. Servir inmediatamente.

© ◎ ⊛

limón

SUSTANCIAS NUTRITIVAS Vitamina C, folato, potasio, limoneno, fibra

Probablemente la más útil de las frutas, el limón tiene ricas propiedades aliadas de la salud.

Exprimiendo jugo de limón sobre frutas peladas, como plátanos o manzanas, evitamos que su pulpa se ennegrezca.

El limón es un arsenal de vitamina C, el antioxidante que refuerza el sistema inmunológico y es vital para la salud de la piel y las encías. Contiene limoneno, sustancia que ralentiza el crecimiento de los tumores malignos, y posee propiedades antisépticas para la eliminación de los gérmenes, razón por la que siempre se ha usado en gárgaras para aliviar la irritación de la garganta. El limón posee también propiedades antifúngicas.

ALIÑO DE LIMÓN

50 ml de jugo de limón
175 ml de zumo de tomate recién exprimido
1 diente de ajo machacado
1 cucharadita de mostaza integral
la piel de 1 limón rallada fina

Colocar todos los ingredientes excepto la ralladura de limón en una jarra con tapa de rosca y agitar bien. Verter en un cuenco y añadir la ralladura de limón, removiendo con un tenedor. Aliñar la ensalada inmediatamente.

naranja

Esta fruta cítrica versátil y popular rebosa vitaminas aliadas del sistema inmunológico.

Las naranjas constituyen una de las fuentes más importantes de vitamina C, que es crucial para el sistema inmunológico, produce células para combatir las enfermedades, y ayuda a luchar contra los virus y las bacterias. También contienen beta sitosterol, un esterol vegetal que contribuye en la prevención de las formaciones malignas y reduce el nivel de colesterol en la sangre. Las naranjas contienen, además, vitamina B5, que estimula la respuesta inmunológica, y abundante fibra, necesarias para la salud del corazón y del sistema digestivo.

SUSTANCIAS NUTRITIVAS Vitaminas B3, B5 y C, carotenoides, folato, beta sitosterol, potasio, fibra

---

TORTAS ÁCIDAS
4 raciones

1 huevo
150 ml de leche desnatada
70 g de harina de trigo
2 naranjas
mantequilla sin sal
1 cucharada de azúcar moreno
4 cucharadas de yogur bio

Batir el huevo con la leche y añadir la harina y la ralladura de la piel de una naranja. Remover. Pelar las naranjas y cortarlas en segmentos. Colocarlas en una olla. Añadir el azúcar y cocer a fuego lento 2 minutos. Derretir un poco de mantequilla en una sartén, añadir una cuarta parte de la mezcla de mantequilla por cada torta y cocer hasta que se doren, volteándolas una vez. Servir con las naranjas y el yogur.

*pomelo

Esta fruta ideal para al desayuno, de sabor ácido e intenso, es desintoxicante y refuerza el sistema inmunológico.

El pomelo es probablemente natural de las Indias Occidentales y llegó al resto del mundo en el siglo XVIII. Existen numerosas variedades, incluidos los pomelos amarillos de sabor agrio y los pomelos rojos y rosa, de paladar más suave.

LAS PROPIEDADES INMUNOLÓGICAS DEL POMELO

Cada parte del pomelo es un poderoso agente desintoxicante. Su alto contenido en vitamina C refuerza la función inmunológica y el crecimiento de los tejidos, y su pulpa y piel contienen componentes que ayudan a inhibir el desarrollo del cáncer. La pulpa es rica en pectina, una fibra soluble que se adhiere al exceso de colesterol y lo elimina del cuerpo, a la vez que ayuda a eliminar toxinas y materia residual, aliviando el estreñimiento. Las semillas contienen un componente antifúngico y antiparasitario que, aunque no es comestible en su totalidad, se puede ingerir en forma de suplemento (extracto de semillas de pomelo).

EL USO DEL POMELO

La variedad rosada y dulce, más rica en betacaroteno, es la de sabor más suave. El pomelo resulta delicioso partido por la mitad, para poder extraer la pulpa. También es sabroso su zumo, solo o combinado con otras frutas como manzanas o frambuesas, aunque se pierde su contenido en fibra.

ACERCA DEL POMELO

• El zumo de pomelo podría reforzar la acción de determinados medicamentos, incluidas ciertas píldoras para dormir. Es conveniente consultar al médico en caso de estar tomando medicación.

• La médula blanca que reviste la piel y divide los segmentos de la pulpa es muy rica en pectina. Su ingestión resulta muy beneficiosa para el corazón.

• Se ha observado que el olor a pomelo suprime el apetito y levanta el ánimo. Ponga un par de gotas de aceite esencial de pomelo en un pañuelo de papel y huélalo.

POMELO RELLENO *4 raciones*

2 pomelos partidos por la mitad, vaciados y picados
1 aguacate pelado, deshuesado y cortado en dados
1 pieza de jengibre tierno picado
1 pera pelada, desgranada y cortada en dados

1 pimiento verde desgranado y picado
2 olivas negras deshuesadas y partidas por la mitad
2 cucharadas de citronela tierna picada fina

Mezclar la pulpa de los pomelos con el aguacate, el jengibre, la pera y el pimiento verde y repartir la mezcla en las cuatro mitades de pomelo vaciado. Guarnecer con las olivas y la citronela para servir.

lima

SUSTANCIAS NUTRITIVAS Vitamina C, folato, calcio, potasio, fibra

Rica en vitamina C, la pulpa ácida de la lima es un eficaz estimulante del sistema inmunológico.

La lima contiene altos niveles de vitamina C, esencial para las funciones inmunológicas. Posee grandes propiedades antivíricas y estimula la producción de fagocitos, células que combaten las bacterias. La lima es también una buena fuente de folato, necesario para la formación de ADN sano y las funciones reproductivas. Asimismo, contiene fibra, que ayuda a controlar el nivel de colesterol y previene las enfermedades cardíacas.

ZUMO DE LIMA
1–2 raciones

2 naranjas
1 pomelo
1 limón
1 lima

Pelar y trocear las frutas y pasarlas separadamente por la licuadora. Beber inmediatamente.

La lima contribuye a la aceleración de los procesos curativos naturales del cuerpo.

fresa

Los romanos valoraban mucho las propiedades terapéuticas de estas bayas estivales.

Repleta de vitamina C, una ración mediana de fresas ofrece el doble de la cantidad recomendada de esta vitamina inmunizante. Además, las fresas son ricas en fibra, necesaria para la salud del corazón y del sistema digestivo. Contienen ácido elágico, sustancia fitoquímica que ayuda a combatir el cáncer y destruye algunas de las toxinas presentes en el humo del tabaco y en la polución atmosférica. Su contenido en vitaminas B las hace aliadas del sistema nervioso y contribuye al alivio de los estados ansiosos, a la vez que refuerza nuestra resistencia a las enfermedades.

SUSTANCIAS NUTRITIVAS Vitaminas B3, B5 y C, flavonoides, ácido elágico, fibra

Las fresas ayudan a proteger la elasticidad de la piel fomentando la producción de colágeno.

CREMA DE FRESAS
2 raciones

150 g de fresas limpias
1 plátano pelado y troceado
1 tarrina pequeña de yogur bio
150 ml de leche de soja sin edulcorar
hojas de menta tierna para guarnición

Colocar todos los ingredientes en la licuadora y batir hasta obtener una crema suave. Servir en copas altas con guarnición de menta.

arándano

SUSTANCIAS NUTRITIVAS Vitaminas B2, C y E, betacaroteno, folato, antocianinas, ácido elágico, taninas, fibra

Estas bayas jugosas merecen un sobresaliente por sus propiedades saludables.

Naturales de Norteamérica, los arándanos fueron utilizados durante siglos por los indios norteamericanos como medicina, mientras que otros miembros de la misma familia son conocidos en el mundo entero por sus cualidades terapéuticas. Tienen un sabor parecido a las grosellas negras aunque no tan intenso. Los arándanos se suelen cocinar y endulzar aunque, para obtener todos sus beneficios inmunológicos, es mejor consumirlos crudos.

LAS PROPIEDADES INMUNOLÓGICAS DE LOS ARÁNDANOS

Una ración de arándanos contiene tantos antioxidantes como cinco raciones de brócoli, manzanas o zanahorias, y los estudios los destacan por encima de todas las demás frutas y verduras por su actividad antioxidante. El ácido elágico, una de estas sustancias, actúa para la prevención del cáncer. Contienen también antocianinas, los antioxidantes que fortalecen los vasos capilares, mejoran la circulación y facilitan el transporte de las sustancias nutritivas por todo el cuerpo, probablemente una de las razones por las que los arándanos favorecen la vista y nos protegen de la demencia, las afecciones cardíacas y las embolias. Ejercen un efecto antiinflamatorio en los tejidos corporales y son ricos en taninos, sustancias que combaten las bacterias que causan infecciones urinarias.

EL USO DE LOS ARÁNDANOS

Lo ideal es comer arándanos tres o cuatro veces a la semana. Se pueden ingerir crudos entre las comidas, acompañados de yogur bio natural y frutos secos como desayuno, o combinados con otras bayas y un poco de nata como postre delicioso.

ACERCA DE LOS ARÁNDANOS

• Los nativos norteamericanos y los primeros colonos europeos utilizaban los arándanos como relajantes durante el parto. Asimismo, usaban el zumo para tratar los resfriados y hacían infusiones con las hojas para depurar la sangre.

• La ingestión de arándanos tiñe la lengua de azul, debido al pigmento antocianina, gran aliado de la salud, que se diluye en el agua.

• Cocidos o desecados pierden gran parte de su contenido en vitamina C aunque conservan su actividad flavonoide.

CREMA DE ARÁNDANOS *2-3 raciones*

250 g de arándanos
125 g de frambuesas u otras bayas estivales
125 ml de yogur natural

Batir todo en la licuadora y servir. Si hay una ola de calor, añadir cuatro cubitos de hielo en la licuadora para hacer un refrescante batido veraniego.

043

cereza

SUSTANCIAS NUTRITIVAS Vitamina C, potasio, antocianinas, ácido elágico

Estas dulces delicias de verano son poderosos desintoxicantes y útiles en la prevención del cáncer.

Las cerezas contienen ácido elágico, componente poderoso que bloquea la enzima que necesitan las células cancerosas para su desarrollo. Las cerezas también son ricas en antocianinas, sustancias antioxidantes que el cuerpo utiliza para producir sustancias químicas que combaten las enfermedades, y vitamina C, esencial para el sistema inmunológico y aliada en la lucha contra los virus y las bacterias. Poseen, además, propiedades antiinflamatorias que alivian la artritis reumatoide y la gota.

Las infusiones de tallos de cerezas son un tradicional remedio contra la cistitis.

CEREZAS CON CHOCOLATE
2-4 raciones

**200 g de cerezas con su tallo
100 g de chocolate negro de buena calidad derretido**

Mojar cada cereza en el chocolate. Colocar en un plato untado con mantequilla y dejar enfriar.

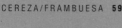

frambuesa

Esta baya combate las infecciones, el cáncer y las dolencias cardíacas.

SUSTANCIAS NUTRITIVAS Vitaminas B3 y C, biotina, folato, hierro, manganeso, antocianinas, fibra

Las frambuesas son una de las fuentes más importantes de fibra, ayudan a mantener bajo el colesterol, facilitan la digestión y son desintoxicantes. Contienen altos niveles de manganeso y vitamina C, que combate las infecciones, y tienen un elevado contenido en antocianinas, poderosas sustancias antioxidantes que fomentan la producción de células que destruyen a los invasores indeseables. Las frambuesas poseen propiedades anticancerígenas y pueden prevenir el cáncer de boca, de garganta y de colon.

Las frambuesas se deterioran fácilmente, por lo que es mejor comprarlas el día que se van a consumir.

FRAMBUESA CARAMELIZADA *4 raciones*

400 g de frambuesas
300 g de yogur bio natural
1 cucharadita de esencia
   de vainilla
6 cucharaditas de azúcar moreno

Repartir las frambuesas en 4 cuencos. Mezclar la vainilla con el yogur y esparcir sobre la fruta. Cubrir cada cuenco con el azúcar y caramelizar en el gratinador muy caliente durante 2 minutos o hasta que se torne crujiente. Dejar enfriar.

mora roja

SUSTANCIAS NUTRITIVAS Vitamina C, hierro, taninos

Esta baya es rica en vitamina C, el antioxidante que refuerza nuestro sistema inmunológico.

ZUMO DE MORAS ROJAS

2 raciones

**200 g de moras rojas
el zumo de 2 naranjas
el zumo de 1 pomelo
2 plátanos medianos
hielo**

Batir todos los ingredientes en la licuadora, añadir el hielo y servir en copas altas.

Las moras rojas poseen propiedades antibacterianas y son conocidas por ayudar a prevenir y tratar la cistitis. Se cree que los taninos que contienen impiden a las bacterias adherirse a las paredes del conducto urinario. Ricas en vitamina C, las moras rojas combaten también los resfriados y la gripe. Si no se encuentran frescas, se pueden sustituir con moras pasas, zumo de moras o extracto. Para obtener los mayores beneficios, hay que tomar un vaso de zumo de moras o 800 mg de extracto a diario.

Siempre que sea posible, beber zumo de moras sin azúcar, ya que éste suprime las funciones del sistema inmunológico.

escaramujo

Repleta de vitamina C, esta pequeña semilla
previene la gripe y los resfriados.

El escaramujo es, en realidad, el capullo que contiene las semillas de las rosas y aparece en los rosales después de su flora-
ción. Contiene veinte veces más vitamina C que las naranjas de
peso equivalente y, por lo tanto, refuerza nuestra resistencia a
las infecciones —como el resfriado común— fomentando la
acción depuradora de los fagocitos (células blancas de la sangre) y desintoxicándonos de las bacterias. El escaramujo es
también una buena fuente de pectina, el tipo de fibra que se adhiere al colesterol y las toxinas y los elimina del cuerpo.

**Durante la Segunda
Guerra Mundial en
Gran Bretaña daban
a los niños jarabe
de escaramujo para
evitar la deficiencia
en vitamina C.**

SUSTANCIAS NUTRITIVAS Vitamina C,
carotenoides, fibra

JARABE DE ESCARAMUJO
1 botella

**125 g de escaramujos
500 ml de agua
125 g de azúcar moreno**

Colocar los escaramujos y el
agua en una olla, llevar a
ebullición y dejar enfriar. Usar
muselina para colar el jarabe
varias veces y eliminar las
semillas, las fibra duras y la
pulpa. Volver a hervir el líquido
tamizado, añadir el azúcar y dejar
cocer a fuego lento hasta que
quede en una tercera parte de su
volumen. Enfriar y guardar en
una pequeña botella esterilizada.

047

© © ♥

avellana

SUSTANCIAS NUTRITIVAS Vitaminas B1, B3, B6 y E, folato; hierro, calcio, magnesio, manganeso, potasio; ácidos grasos omega 9; proteínas

La avellana tiene un aminoácido que activa el herpes; evítela si es propenso a estas irritaciones.

Tan sabrosa como rica en aceites saludables, la avellana constituye un delicioso tentempié.

Las avellanas son especialmente ricas en los tan saludables ácidos grasos omega 9. Contienen también mucha vitamina E que ayuda a proteger el cuerpo de la contaminación y otros tóxicos, y vitamina B6 que se necesita para crear cisteína, un aminoácido clave para el sistema inmunológico. Las avellanas son también ricas en minerales, incluidos el hierro y el calcio, y una importante fuente de proteínas.

MANTEQUILLA DE AVELLANAS *para un bol pequeño*

300 g de avellanas
2 cucharadas de aceite de girasol
1 cucharadita de azúcar de caña

Tostar las avellanas sin cáscara en el horno caliente durante

20 minutos. Con un trapo, quitarles la piel y colocarlas en una licuadora con una cucharada de aceite. Triturar hasta formar una pasta y añadir el aceite restante y el azúcar. Volver a triturar hasta obtener una crema.

nuez

La nuez tiene un sabor peculiar y es rica en sustancias nutritivas.

Las nueces contienen glutationa, importante sustancia antioxidante que fomenta el desarrollo de los linfocitos, nuestras células inmunológicas. Son ricas en ácido alfa linoleico (ácido graso omega 6), que ayuda a reducir los niveles de colesterol y refuerza la salud del corazón, y en vitamina B, que proporcionan energía y fomenta la función cerebral. Su alto contenido en vitamina E favorece la salud de nuestra piel.

La ingestión de tan sólo 25 g de nueces al día proporciona la mitad de la cantidad diaria recomendada del esencial ácido alfa linoleico.

SUSTANCIAS NUTRITIVAS Vitaminas B1, B2, B3, B5, B6 y E, folato, calcio, hierro, selenio, cinc, glutationa, ácidos grasos omega 6 y omega 9

ENSALADA DE PASTA Y NUECES   *4 raciones*

4 cucharadas de nueces picadas
350 g de pasta rizada integral hervida
3 tomates grandes troceados
1 manojo de rúcula
2 cucharadas de albahaca
1 diente de ajo machacado
4 cucharadas de aceite de nueces
2 cucharadas de vinagre balsámico

Mezclar todos, excepto el ajo, el aceite y el vinagre. Remover juntos estos últimos ingredientes y rociar la ensalada. Servir.

anacardo

SUSTANCIAS NUTRITIVAS Vitaminas B2, B3, B5 y B6, biotina, folato, iodino, hierro, magnesio, selenio, manganeso, potasio, cinc, proteínas

Esta semilla brasileña tiene grasas saludables que ayudan a bajar el colesterol.

Los anacardos son una fuente rica en vitamina B, que refuerza los nervios y los tejidos musculares del organismo y aumenta nuestra resistencia al estrés. También contienen minerales importantes para la salud del sistema inmunológico, incluido el selenio, el antioxidante crucial para la producción de anticuerpos, y el cinc, que ayuda a combatir los virus y las células cancerosas. Además, los anacardos contienen grasas monoinsaturadas, que controlan los niveles de colesterol.

Los anacardos son una buena fuente de proteínas y constituyen el tentempié ideal para evitar el hambre entre comidas.

BAYAS ESTIVALES CON CREMA DE ANACARDOS *4 raciones*

150 g de anacardos pelados
100 ml de agua
1 cucharadita de nuez moscada molida
2 cucharadas de miel líquida
200 g de frambuesas
200 g de fresas raspadas y partidas por la mitad

Batir los anacardos con el agua en la batidora hasta obtener una masa suave, añadir la nuez moscada y la miel, y volver a batir para que queden bien mezclados. Repartir las frambuesas en 4 cuencos, cubrir con la crema de anacardos y servir.

piñón

Lleno de proteínas y minerales, este fruto ayuda a prevenir las enfermedades.

Ricas en cinc, el antioxidante que refuerza el sistema inmunológico, los piñones contienen altos niveles de grasas polinsaturadas de acción antiinflamatoria, que mantienen bajo el colesterol y fomentan la salud del corazón. También abundan en vitamina E, que nos ayuda a protegernos de los daños de la contaminación y otras toxinas y es necesaria para defendernos de las enfermedades. Los piñones constituyen una buena fuente de magnesio, que ayuda a calmar las reacciones alérgicas.

SUSTANCIAS NUTRITIVAS Vitaminas B1, B2, B3 y E, hierro, magnesio, manganeso, cinc, proteínas

BROCHETA DE PIMIENTOS ROJOS *4 raciones*

4 pimientos rojos troceados
1 diente de ajo machacado
1 cucharada de vinagre balsámico
5 cucharadas de aceite de oliva
1 barra de pan integral cortada en rebanadas gruesas
200 g de queso de cabra
55 g de piñones tostados

Gratinar los pimientos hasta que se reblandezcan. Colocar en un cuenco y mezclar con el ajo, el vinagre y 4 cucharadas de aceite. Rociar el pan con el aceite restante y dorar por ambos lados en el horno. Cubrir las rebanadas con queso de cabra, pimientos y piñones.

Podemos añadir piñones a las ensaladas y los revoltillos para aportar una dosis de proteínas.

nuez de Brasil

SUSTANCIAS NUTRITIVAS Vitaminas B1 y E, biotina, calcio, hierro, magnesio, selenio, cinc, ácidos grasos omega 6, glutationa, fibra, proteínas

Rica en selenio, mineral antioxidante, la nuez de Brasil es una de las más nutritivas.

Las nueces de Brasil crecen en estado silvestre en las selvas lluviosas del Amazonas, donde las antiguas tribus las consideraban sagradas. Se trata de las pepitas de una fruta que se parece remotamente al coco. Las pepitas crecen en grupos de hasta 24 en el interior de la cáscara. Una vez maduras, las frutas caen al suelo y es entonces cuando se extraen las pepitas para secarlas al sol y lavarlas antes de su exportación.

LAS PROPIEDADES INMUNOLÓGICAS DE LAS NUECES DE BRASIL

Son una de las mejores fuentes de selenio, un mineral antioxidante que refuerza la respuesta inmunológica del organismo y ayuda a prevenir el cáncer, las dolencias cardíacas y el envejecimiento prematuro. Es uno de los componentes claves en la acción de la glutationa, la enzima que suprime los radicales libres y detiene el desarrollo de los tumores. Las nueces de Brasil rebosan vitamina E que, junto con el selenio, representa un gran refuerzo del sistema inmunológico. También contienen otros minerales importantes, incluidos el hierro y el magnesio, y son ricas en ácidos grasos omega 6, esenciales para el alivio de las inflamaciones, la buena digestión y la salud de la piel.

EL USO DE LAS NUECES DE BRASIL

Ricas en proteínas, un puñado de estas nueces ingeridas crudas es un tentempié satisfactorio. Con la batidora se puede obtener de ellas leche o mantequilla, y aportan una crujiente dosis de proteínas a las ensaladas y los revoltillos.

ACERCA DE LAS NUECES DE BRASIL

• Representan una fuente vital de ingresos para las poblaciones de los bosques pluviales del Amazonas, desde donde son exportadas a Europa y Norteamérica.

• Las nueces de Brasil se conocen también como nueces para, nueces de crema (debido a su rico sabor) y castaneas.

• Una vez recolectadas, las cápsulas fibrosas y duras que contienen las semillas sirven como trampas para animales.

• Las nueces de Brasil tienen un elevado contenido graso. Por eso se tornan rancias muy pronto y no debemos almacenarlas durante mucho tiempo. Como todas las semillas y frutos secos, es mejor conservarlas en el frigorífico.

REVOLTILLO DE JUDÍAS VERDES CON NUECES DE BRASIL *4 raciones*

2 cucharadas de aceite de sésamo
1 cebolla picada
1 cucharada de jengibre tierno rallado
2 dientes de ajo machacados
200 g de puntas de espárragos
200 g de judías verdes

100 g de nueces de Brasil partidas
2 cucharadas de salsa de soja

Calentar el aceite en un wok a fuego muy alto y cuando empiece a freírse añadir la cebolla, el jengibre y el ajo. Freír removiendo 2 minutos más y añadir los espárragos, las judías y las nueces de Brasil. Remover 5 minutos más y añadir la salsa de soja. Bajar la temperatura y cocer a fuego lento hasta que los espárragos y las judías se reblandezcan. Servir sobre un lecho de arroz integral.

pistacho

Este fruto verde pálido es un popular tentempié y contiene minerales saludables.

SUSTANCIAS NUTRITIVAS Vitaminas B1, B3 y E, magnesio, manganeso, potasio, calcio, ácidos grasos omega 9, proteínas

Los pistachos contienen calcio, el mineral antivírico que nuestro organismo necesita para activar la acción de los fagocitos. También son ricos en magnesio, que ayuda al cuerpo a absorber el calcio y alivia las reacciones alérgicas. Los pistachos contienen altos niveles de grasas monoinsaturadas nutritivas, además de vitamina E, y son también una buena fuente de vitamina B, esencial para la salud de los tejidos nerviosos y musculares.

ENSALADA *4 raciones*

- **1 diente de ajo machacado**
- **1 cucharadita de mostaza de Dijon**
- **1 cucharada de vinagre balsámico**
- **el zumo de 1 naranja**
- **100 g de berros**
- **100 g de rúcula**
- **1 manzana verde a dados**
- **8 cucharadas de pistachos**

Mezclar el ajo, la mostaza, el vinagre balsámico y el zumo de naranja. Reservar. Colocar los berros y la rúcula en platos y esparcir sobre ellos la manzana y los pistachos. Aliñar y servir.

053

almendra

Este sabroso fruto seco contiene grasas
saludables y otros nutrientes vigorizantes.

Las almendras son una de las fuentes más importantes de vitamina E, el antioxidante que ayuda a prevenir el cáncer. Contienen
24 mg por cada 100 g, además de ser ricas en calcio, el mineral
que combate los virus. Asimismo, contienen laetrile, que es con-
siderado un poderoso compuesto anticancerígeno, y son ricas
en cinc, que fortalece el sistema inmunológico y fomenta la cicatrización de las heridas. Ricas en grasas monoinsaturadas nutritivas, las almendras nos ayudan a reducir el nivel de colesterol.

SUSTANCIAS NUTRITIVAS Vitaminas
B2, B5 y E, biotina, calcio, hierro,
magnesio, fósforo, potasio, cinc,
laetrile, ácidos grasos omega 9

Este fruto es bueno
para la piel,
a la que proporciona
vitamina E y cinc.

**CREMA DE PLÁTANO CON
ALMENDRAS** *2 raciones*

150 g de almendras escaldadas
2 plátanos pequeños
500 ml de agua
una pizca de canela
2 cucharaditas de esencia de
vainilla
2 cucharaditas de miel

Colocar las almendras, los
plátanos y el agua en la
licuadora y batir hasta obtener
una mezcla suave. Añadir la
esencia de vainilla, la miel y la
canela, y volver a batir. Servir.

pepita y aceite de girasol

SUSTANCIAS NUTRITIVAS Vitaminas E, B1, B2 y B3, calcio, cobre, magnesio, manganeso, hierro, selenio, cinc, ácidos grasos omega 6, proteínas

Esta sabrosa semilla y su aceite poseen muchas propiedades saludables.

Las pepitas de girasol contienen minerales importantes para el sistema inmunológico: el magnesio, que calma las reacciones alérgicas, y el cinc, un poderoso antivírico. Son ricas en vitamina E, que previene los daños causados por las toxinas y mantiene sanos la piel y los tejidos celulares. Su vitamina B hace de las pipas un agente eficaz contra el estrés. Puesto que el aceite de girasol es un poliinsaturado, no debemos calentarlo y solo hay que utilizar las variedades prensadas en frío.

MUESLI *4 raciones*

125 g de copos de avena
2 cucharadas de dátiles secos picados
2 cucharadas de albaricoques secos picados
1 cucharada de pacanas picadas
1 cucharada de almendras peladas
1 cucharada de pipas
1 cucharada de linaza
1 cucharada de germen de trigo
1 cucharada de salvado
2 manzanas peladas y troceadas
leche de soja

Mezclar los ingredientes secos y cubrir con las manzanas. Servir con la leche de soja.

El aceite de girasol es uno de los productos básicos y muy útiles en la cocina, ideal para emplear en aliños.

semilla de calabaza

Es más rica en hierro que cualquier otra semilla.

Las semillas de calabaza son una buena fuente de ácidos grasos omega 3 y omega 6. Son cruciales para el buen funcionamiento del sistema inmunológico, así como para la salud de la piel, la buena coagulación, la digestión y las funciones nerviosas. Son también ricas en vitamina B, importante para moderar el estrés y sus efectos perjudiciales en el sistema inmunológico, y contienen muchos otros minerales que refuerzan las funciones inmunológicas, incluidos el selenio y el cinc, los minerales antioxidantes.

SUSTANCIAS NUTRITIVAS Vitaminas B1, B2 y B3, hierro, magnesio, fósforo, potasio, selenio, cinc, ácidos grasos omega 3 y omega 6, proteínas

Las semillas de calabaza son una buena fuente de proteínas y ayudan a regular los niveles de azúcar en la sangre.

POSTRE GRIEGO DE PERAS *2 raciones*

2 peras maduras picadas
200 ml de yogur griego
3 cucharadas de semillas de calabaza
1 cucharada de pipas
1 cucharada de manuka o miel líquida

Repartir las peras picadas en dos cuencos y cubrir con el yogur. Espolvorear las semillas, rociar con la miel y servir.

aceite de cártamo

SUSTANCIAS NUTRITIVAS Vitamina E, fitosteroles, ácidos grasos omega 6

Este aceite ligero y dorado de las semillas de cártamo ayuda a prevenir las dolencias cardíacas.

Este aceite es rico en vitamina E, el antioxidante que ayuda a prevenir el cáncer, mantiene la piel sana y desintoxica el organismo. Contiene fitosteroles, sustancias químicas vegetales que reducen el colesterol y previenen las enfermedades cardíacas y las embolias. El aceite de cártamo es rico en ácidos grasos omega 6, que nuestro cuerpo convierte en prostaglandinas que equilibran el sistema inmunológico y evitan las reacciones alérgicas, además de diluir la sangre, aliviar las inflamaciones, fomentar las funciones cerebrales y nerviosas, y regular los niveles de azúcar en la sangre. Siendo un poliinsaturado, no se debe calentar y hay que utilizar las variedades prensadas en frío.

VINAGRETA DE ACEITE DE CÁRTAMO *1 cuenco*

50 ml de vinagre de vino blanco
2 cucharaditas de mostaza
  de Dijon
sal y pimienta
150 ml de aceite de cártamo

Mezclar en un cuenco el vinagre, la mostaza, la sal y la pimienta. Añadir lentamente el aceite, removiendo hasta que se mezclen los ingredientes. Usar inmediatamente o guardar en un frasco de vidrio. Agitar bien antes de usar.

057

aceite de prímula

Este reparador aceite de flores estabiliza las hormonas y refuerza la salud de nuestra piel.

SUSTANCIAS NUTRITIVAS Vitamina E, ácido gama linoleico, ácidos grasos omega 6

El aceite de prímula es una de las más ricas fuentes directas de ácido gama linoleico y ácido graso omega 6. Nuestro organismo convierte esta sustancia en prostaglandinas, sustancias similares a las hormonas que ayudan a regular el sistema inmunológico, diluyen la sangre, reducen las inflamaciones y favorecen las funciones nerviosas y musculares. El aumento de los niveles de prostaglandinas en el cuerpo ayuda a aliviar los síntomas premenstruales. Además, es rico en vitamina E, que refuerza la salud de la piel y alivia dolencias como los eccemas.

ALIÑO DE ACEITE DE PRÍMULA *1 cuenco pequeño*

1 cucharada de vinagre balsámico
3 cucharadas de zumo de limón
1 cucharadita de mostaza
1 cucharada de perejil tierno picado y otra de cebolletas picadas
1 diente de ajo machacado
1 cucharadita de orégano seco
1 cucharadita de albahaca seca

3 cucharadas de aceite de prímula
una pizca de pimienta roja
sal

Batir en la licuadora los ingredientes. Añadir el aceite y batir hasta obtener una mezcla cremosa. Salpimentar.

semilla y aceite de sésamo

SUSTANCIAS NUTRITIVAS Vitaminas B1, B2, B3 y E, calcio, hierro, cinc, ácidos grasos omega 6 y omega 9

Las semillas de sésamo aportan proteínas a cremas y ensaladas.

Esta semilla diminuta puede añadir sabor y nutrientes a gran variedad de platos.

Las semillas de sésamo tienen sabor a frutos secos y son crujientes. Importantes aliadas de la salud, con ellas se elabora el aceite de sésamo, muy resistente a estropearse, y el tahini, una pasta de semillas de sésamo. Ricas en cinc, el mineral que refuerza el sistema inmunológico, y vitamina E antioxidante, también contiene vitamina B, que ayuda al sistema nervioso y combate el estrés. Buena fuente de proteínas vegetales, el sésamo abunda en ácidos grasos omega 6, aliados de la salud y la circulación.

REVOLTILLO DE SÉSAMO CRUJIENTE *4 raciones*

3 cucharadas de aceite de oliva
25 g de semillas de sésamo
25 g de jengibre tierno, pelado
   y rallado
2 dientes de ajo machacados
½ cabeza de brócoli cortada en
   floretes pequeños
3 zanahorias cortadas en
   tiras largas
½ col desmenuzada

Calentar en un wok el aceite y las semillas de sésamo hasta que estas empiecen a tostarse. Añadir el jengibre y los ajos, seguidos de los demás ingredientes. Mezclar bien. Bajar el fuego y freír de 5 a 10 minutos más. Servir.

059

judía aduki

Esta judía, que en Japón llaman «reina de las judías», es rica en nutrientes vigorizantes.

Las judías aduki abundan en fibra y, en consecuencia, son útiles para acelerar la eliminación de las sustancias residuales y desintoxicar el organismo. Contienen niveles importantes de vitamina B, necesaria para producir energía y reparar tejidos. Son también una fuente útil de proteínas, que fortalecen los músculos y mantienen la salud de la piel, y son ricas en sustancias minerales aliadas del sistema inmunológico, incluidos el cinc, el calcio y el magnesio.

SUSTANCIAS NUTRITIVAS Vitaminas B1, B2 y B3, calcio, magnesio, manganeso, cinc, fibra, proteínas

JUDÍAS ADUKI A LA CAZUELA *2 raciones*

1 cebolla roja picada
2 cucharadas de aceite de oliva
1 pimiento rojo picado
1 tallo de apio picado
2 zanahorias picadas
2 tomates grandes picados
200 g de judías aduki (dejarlas en remojo una noche)
1 diente de ajo machacado
1 cucharadita de comino molido
1 cucharadita de semillas de hinojo
1 cucharadita de cilantro molido
600 ml de caldo vegetal

En un wok dorar a fuego lento la cebolla. Añadir el pimiento, el apio, las zanahorias y el tomate, y remover 2 minutos. Añadir las judías, el ajo y las especias. Remover, añadir el caldo y cocer a fuego lento 30 minutos. Servir con arroz integral.

Las judías aduki se conocen también como azuki o adzuki.

avena

SUSTANCIAS NUTRITIVAS Vitaminas B1, B2, B3, B5 y E, folato, hierro, magnesio, selenio, silicio, cinc, flavonoides, fibra, proteínas

Sabrosa y nutritiva, la avena aporta también multitud de beneficios para la salud.

La avena tiene un alto contenido en vitamina E, que refuerza el sistema inmunológico, además de los flavonoides llamados avenantramidas, potentes antioxidantes que reducen el colesterol y ayudan a prevenir el cáncer, especialmente el de colon. La avena es alta en fibra, que tiene propiedades laxantes, y en silicio, mineral antiinflamatorio que calma las irritaciones intestinales. Con alto contenido en vitamina B, la avena es útil para aliviar el estrés y favorece la pérdida de peso, ya que libera lentamente su energía y evita los accesos de hambre.

Contra los eccemas: atar una bolsa de muselina llena de avena bajo el grifo y recoger el agua que se filtra.

GACHAS CON FRUTAS *2 raciones*

850 ml de leche de soja sin endulzar
150 g de avena
1 cucharadita de canela molida
1 plátano pequeño picado
200 g de arándanos
2 cucharadas de almendras peladas

Cocer a fuego lento la leche de soja y la avena 5 minutos, removiendo regularmente. Añadir la canela y el plátano, remover y cocer 2 minutos. Repartir la mezcla en 2 cuencos. Guarnecer con los arándanos y las almendras y servir.

061

germen de trigo

Esta pequeña semilla es sorprendentemente rica en sustancias nutritivas esenciales.

El germen de trigo se encuentra en el interior de los granos de este cereal y es rico en vitamina E, el antioxidante que ayuda a desintoxicar el cuerpo neutralizando los radicales libres perjudiciales. Es además una fuente excelente de vitamina B, necesaria para combatir las enfermedades y mantener sano el sistema nervioso y las membranas mucosas. Su porcentaje en fibra es muy alto y, en consecuencia, asegura la eficacia del sistema digestivo y reduce los niveles de colesterol.

SUSTANCIAS NUTRITIVAS Vitaminas B1, B2, B3, B5, B6 y E, folato, hierro, magnesio, manganeso, selenio, cinc, fibra

Los alérgicos al trigo y al gluten no deben consumir germen de trigo.

CREMA DE GERMEN DE TRIGO Y MIEL *1 ración*

200 ml de leche de soja
55 g de yogur bio natural
125 g de fresas
1 plátano maduro
2 cucharaditas de germen de trigo
2 cucharaditas de miel manuka

Batir todos los ingredientes en la licuadora y servir enseguida.

trigo bulgur

Rico en minerales, el bulgur es un buen sustituto del arroz.

Grano de trigo partido, el bulgur es rico en fibra digestiva necesaria para reducir los niveles de colesterol. Es una buena fuente de vitamina B, que ayuda al cuerpo a barrer las células invasoras, estabilizar los niveles de energía y mantener sano el sistema nervioso. El bulgur contiene además minerales como el hierro, que aumenta nuestra resistencia general a las infecciones.

HOJAS DE VIÑA RELLENAS DE BULGUR *4 raciones*

100 ml de agua hirviendo
150 g de trigo bulgur
1 cebolla pequeña a rodajas
3 cucharaditas de aceite de oliva
1 cucharadita de granos de comino
55 g de tofu rallado
6 tomates secos y picados
1 cucharadita de menta fresca picada
½ cucharadita de zumo de limón
pimienta negra
16 hojas de viña previamente escaldadas durante 5 minutos

Añadir el agua al bulgur y dejar reposar 20 minutos. Freír la cebolla en una olla hasta que se dore. Añadir removiendo los granos de comino. Retirar y añadir el bulgur, el tofu, los tomates, la menta, el zumo de limón y la pimienta. Repartir la mezcla sobre las hojas de viña, enrollar y fijar con un palillo. Hervir al vapor 20 minutos y servir.

El bulgur no es apropiado para las personas que son alérgicas al grano y al gluten.

quinua

Los incas llamaban «grano-madre» a este tipo de grano, repleto de propiedades.

Calificado a menudo como «el alimento perfecto», la quinua es muy rica en proteínas, es decir, contiene los 8 aminoácidos esenciales, cualidad extremadamente rara en el mundo vegetal. La quinua es también una buena fuente de vitamina E, el antioxidante necesario para los procesos de curación, y contiene una serie de minerales aliados del sistema inmunológico, incluido el cinc, necesario para la salud del timo, regulador de la producción de células inmunológicas.

Su contenido en fibra favorece la digestión y alivia del estreñimiento.

SUSTANCIAS NUTRITIVAS Vitaminas B2, B3 y E, hierro, calcio, magnesio, cinc, saponinas, fibra, proteínas

PILAFF DE QUINUA
4 raciones

850 ml de agua
350 g de quinua
150 ml de aceite de oliva
450 g de gombos cortados
   en rodajas finas
3 cucharadas de puré de tomate
1 cebolla picada
2 dientes de ajo machacados
2 cucharaditas de granos
   de comino
1 cucharadita de pimienta negra
55 g de cilantro fresco picado

Hervir el agua en una olla. Añadir la quinua, llevar a ebullición y cocer a fuego lento 15 minutos. Escurrir. Calentar el aceite en un wok, añadir los gombos y freír removiendo durante 3 minutos. Añadir los demás ingredientes excepto el cilantro y freír removiendo 5 minutos más. Bajar el fuego y cocer otros 10 minutos. Añadir la quinua y el cilantro y remover. Servir.

064

arroz

SUSTANCIAS NUTRITIVAS Vitaminas B1 y B3, folato, hierro, magnesio, manganeso, fósforo, cobre, cinc, carbohidratos complejos, fibra, proteínas

Es mejor ya que el arroz integral, que contiene más sustancias nutritivas que la variedad blanca elaborada.

El segundo grano más cultivado del mundo es un arsenal de sustancias nutritivas.

El arroz integral rebosa vitamina B, necesaria para la salud del cerebro y el sistema nervioso, mientras que su contenido en proteínas fomenta la formación de masa muscular y la salud del cabello y de la piel. Es además una buena fuente de cinc y minerales traza, como el magnesio, el fósforo y el cobre, que refuerzan nuestra resistencia a las infecciones. Su alto contenido en fibra resulta excelente para el sistema digestivo y ayuda a reducir el colesterol, lo que es importante para la salud del corazón. Se trata de un carbohidrato complejo que libera lentamente su energía y es ideal para evitar los accesos de hambre.

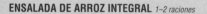

ENSALADA DE ARROZ INTEGRAL *1–2 raciones*

55 g de arroz integral hervido y enfriado
2 cebollas tiernas cortadas en rodajas
4 tomates troceados
100 g de olivas negras deshuesadas y partidas en dos
2 dientes de ajo machacados

3 cucharadas de albahaca fresca picada gruesa
3 cucharadas de aceite de oliva

Mezclar todos los ingredientes en una gran ensaladera. Dejar reposar 1 hora fuera de la nevera antes de servir.

maíz

Este alimento básico es particularmente rico en vitaminas aliadas del sistema inmunológico.

El maíz en lata y el congelado retiene la mayoría de las sustancias nutritivas presentes en el fresco.

Con el maíz se hace harina, aunque su forma más nutritiva es el maíz tierno, los granos que crecen en la panocha. El maíz tierno contiene cantidades importantes de vitamina C, que ayuda a fortalecer el sistema inmunológico en su lucha contra los virus y las bacterias, y es fuente excelente de fibra, tan importante para reducir el colesterol y prevenir las enfermedades cardíacas. El maíz contiene folato, necesario para la salud del sistema reproductivo, y vitamina B, que aumenta nuestra energía y resistencia al estrés.

SUSTANCIAS NUTRITIVAS Vitaminas A, B3, B5 y C, betacaroteno, folato, magnesio, cinc, fibra

---

FRITURA DE MAÍZ *2 raciones*

**115 g de harina integral
2 huevos
300 ml de leche
2 cucharadas de cilantro fresco picado
225 g de maíz, fresco o en lata
pimienta negra a discreción
2 cucharadas de aceite de oliva**

Batir la harina, los huevos y la leche hasta obtener una masa sedosa, y añadir el cilantro, el maíz y la pimienta. Calentar el aceite en una sartén, dividir la mezcla en 8 empanadas pequeñas y dorar por ambos lados. Servir.

judía de careta

Esta judía tan nutritiva es el ingrediente esencial de la dieta criolla y cajún.

SUSTANCIAS NUTRITIVAS Vitaminas B1, B2 y B3, biotina, folato, calcio, hierro, magnesio, manganeso, selenio, cinc, fibra, proteínas

Las judías de careta contienen cinc, un importante mineral antioxidante que fomenta el desarrollo de las células inmunológicas del organismo. También contienen selenio, otro mineral antioxidante necesario para producir anticuerpos y prevenir el cáncer. Son ricas en vitamina B, que refuerza nuestra energía, y en folato, necesario para la salud de los órganos reproductivos. Son además una buena fuente de proteínas, que el organismo utiliza para desarrollar la masa muscular y aumentar la vitalidad, y en fibra, importante para la salud del sistema digestivo y del corazón.

ARROZ CON JUDÍAS DE CARETA *4 raciones*

5 cebolletas picadas
2 cucharaditas de aceite de oliva
350 g de judías de careta
   hervidas
2 cucharadas de agua
el zumo de 1 limón
½ cucharadita de chile en polvo
½ cucharadita de comino
2 cucharadas de cilantro
   fresco picado

150 g de arroz basmati hervido
pimienta negra

Freír las cebollas en el aceite a fuego moderado hasta que se doren. Añadir el resto de los ingredientes excepto el arroz, remover y calentar durante 2 minutos. Añadir el arroz y la pimienta, y freír removiendo durante 2 minutos más. Servir.

067/90

judía pinta

Ampliamente utilizada en Sudamérica, esta judía es rica en proteínas, vitaminas y minerales.

Ricas en folato, las judías pintas son una fuente excelente de proteínas, lo que ayuda a mantener estables nuestros niveles de energía, y son muy ricas en fibra, vital para controlar los niveles de colesterol y la buena digestión. Contienen también hierro, elemento esencial para los anticuerpos y los leucocitos de nuestro sistema inmunológico.

SUSTANCIAS NUTRITIVAS Folato, potasio, hierro, manganeso, fibra, proteínas

CAZUELA RÁPIDA DE JUDÍAS PINTAS *2 raciones*

2 cucharadas de aceite de oliva
400 g de judías pintas en lata
3 tomates maduros picados
1 pimiento rojo picado
1 cebolla picada
2 dientes de ajo machacados
1 calabacín cortado en rodajas
4 setas portabello en rodajas
2 cucharaditas de albahaca
    fresca picada
1 cucharadita de sal

Calentar el aceite en una olla, añadir la cebolla y freír removiendo hasta que se dore. Añadir el pimiento, el calabacín, las setas, los tomates y el ajo. Remover 5 minutos, añadir las judías pintas y agua suficiente para cubrirlas. Echar la albahaca y la sal, cubrir la olla y cocer a fuego lento hasta que las verduras se reblandezcan. Servir con arroz integral.

Las judías pintas crudas son muy tóxicas; hay que consumirlas siempre cocidas o en lata.

judía blanca

SUSTANCIAS NUTRITIVAS Vitaminas
B3, B5 y folato, hierro, manganeso,
potasio, cinc, fibra, proteínas

Esta judía suave y harinosa es rica en vitamina B
y en proteínas.

Las judías blancas contienen altos niveles de vitamina B5, importante estimulante del sistema inmunológico que ayuda a nuestro organismo a producir anticuerpos para combatir las enfermedades. Son además una fuente útil de folato, otra vitamina B que es vital para la salud del sistema reproductivo. Asimismo, son ricas en minerales y contienen cierta cantidad de manganeso —que contribuye a la detención del desarrollo de los virus— y de hierro y cinc, que fortalecen nuestro sistema inmunológico.

JUDÍAS AL ESTILO DE ORIENTE MEDIO *4 raciones*

1 cebolla picada
1 cucharadita de canela molida
2 cucharadas de aceite de oliva
500 g de judías blancas
   cocidas o en lata
1 cucharadita de sal
pimienta negra molida fina
½ cucharadita de chile en polvo
400 ml de agua
200 g de tomates en lata
   picados
4 dientes de ajo machacados
el zumo de ½ limón
un manojo de perejil fresco
   picado grueso

Saltear la cebolla y la canela en aceite y añadir las judías, la sal, la pimienta, el chile y el agua. Hervir, bajar el fuego y cocer a fuego lento 15 minutos. Añadir los tomates, el ajo y el zumo de limón y cocer 5 minutos más. Guarnecer con perejil y servir.

Las judías blancas
ayudan a mantener
la buena salud
de nuestra piel
y cabello.

690

lenteja

La humilde lenteja, uno de los alimentos más antiguos y dieta básica en muchos países, es rica en sustancias antioxidantes.

Las lentejas son ricas en vitamina B, que refuerza el sistema inmunológico de nuestro cuerpo y combate las bacterias y otros elementos invasores. También contienen selenio y hierro, vital para la salud de nuestra sangre. Asimismo, contienen sustancias fitoquímicas anticancerígenas y estrógenos vegetales, aumentan la energía de nuestro organismo y fomentan la salud del corazón y del sistema digestivo.

Las lentejas verdes y las pardas contienen más sustancias nutritivas que la variedad roja.

SUSTANCIAS NUTRITIVAS Vitaminas B3, B5, B6, folato; calcio, hierro, magnesio, manganeso, potasio, selenio, cinc, fibra, proteínas

---

ENSALADA TIBIA DE LENTEJAS *4 raciones*

300 g de lentejas verdes o rojas
50 ml de aceite de oliva
2 cebollas picadas
1 diente de ajo machacado
1 pimiento rojo picado fino
1 calabacín picado fino
1 zanahoria en rodajas
1 tallo de apio picado fino
2 grandes tomates maduros
sin semillas, picados
2 cucharadas de vinagre
balsámico
1 cucharada de menta fresca
picada fina

Hervir las lentejas 10 minutos o hasta que empiecen a reblandecerse. Escurrir. Calentar el aceite en un wok y añadir las verduras. Freír removiendo hasta que absorban el aceite. Retirar del fuego, añadir las lentejas, el vinagre y la menta, mezclar y servir.

garbanzo

SUSTANCIAS NUTRITIVAS Vitaminas B2, B3, B5, E y folato, hierro, potasio, cinc, fibra, proteínas

Muy nutritivo, el garbanzo tiene una textura sorprendentemente cremosa.

Los garbanzos contienen inhibidores de la proteasa, que detienen la acción destructora que las células cancerosas ejercen sobre el ADN. Son ricos en vitamina E, el antioxidante que refuerza la capacidad de los leucocitos de combatir las infecciones, y cinc, necesario para el crecimiento saludable de las células. Son, asimismo, una buena fuente de isoflavonas, sustancias químicas vegetales que en el intestino se convierten en algo similar al estrógeno, hormona que ayuda a prevenir patologías relacionadas con los estrógenos, como el síndrome premenstrual y el cáncer de mama. Altos en fibra y flavonoides, refuerzan la salud del sistema digestivo y ayudan a reducir el colesterol.

HUMUS DE PIMIENTO ROJO *1 cuenco*

400 g de garbanzos (en lata o precocidos)
2 dientes de ajo machacados
3 cucharadas de tahini
el zumo de 3 limones grandes
2 cucharaditas de salsa de soja tamari
1 pimiento rojo picado

Colocar los ingredientes en la licuadora y batir hasta obtener una pasta suave. Añadir un poco de agua si resulta demasiado espesa. Usar con copos de avena o verduras crudas picadas como salsa para untar, o como guarnición con ensalada. El humus se puede conservar hasta 3 días en la nevera.

Los garbanzos frescos contienen más sustancias nutritivas que los cocidos y enlatados.

judía verde

La crujiente judía verde es rica en vitaminas y minerales enemigos de las enfermedades.

Como otras legumbres, las judías verdes son bajas en grasas y ricas en fibra soluble, importante para la salud del corazón. Contienen altos niveles de vitamina B, necesaria para el crecimiento de los fagocitos, las células que eliminan los invasores indeseables. También contienen betacaroteno, que nuestro organismo convierte en vitamina A, que ayuda a combatir el cáncer. Las judías verdes son además una buena fuente de manganeso, mineral necesario para la producción de interferón, sustancia que combate los virus.

SUSTANCIAS NUTRITIVAS Vitaminas B3 y folato, betacaroteno, hierro, manganeso, fibra

ENSALADA DE JUDÍAS VERDES CON ARROZ *4 raciones*

250 g de arroz arborio hervido y enfriado
150 g de judías verdes
1 manojo de espárragos cortados en trozos pequeños
200 g de judías pintas en lata escurridas
1 pimiento rojo picado fino
20 olivas verdes deshuesadas y cortadas en dos
3 cucharadas de perejil fresco picado
3 cucharadas de menta fresca picada
5 cebolletas frescas picadas
3 cucharadas de vinagre de vino blanco
2 cucharadas de aceite de oliva

Hervir las judías y los espárragos al vapor hasta que estén al dente. Dejar enfriar y colocar en una ensaladera con el arroz. Mezclar y añadir el resto de los ingredientes. Remover, reposar 1 hora y servir.

Las judías verdes tiernas y firmes contienen elevados niveles de sustancias nutritivas.

soja

SUSTANCIAS NUTRITIVAS Vitaminas B2, B6, E y folato, calcio, hierro, magnesio, manganeso, potasio, cinc, isoflavonas, inhibidores de la proteasa

Este alimento tan versátil posee propiedades medicinales que ayudan a prevenir el cáncer.

Probablemente es la más nutritiva de las legumbres, y se puede ingerir de muchas formas distintas: en brotes, como tofu, fermentada, en forma de yogur, harina, leche, miso y salsa. Es uno de los alimentos tradicionales del Japón. La baja incidencia de determinados tipos de cáncer entre los japoneses impulsó el estudio clínico de sus propiedades medicinales.

LAS PROPIEDADES INMUNOLÓGICAS DE LA SOJA

La soja contiene fitoestrógenos llamados isoflavonas, que imitan los efectos de esta hormona en el cuerpo. Esta característica la hace útil para el control de los síntomas menopáusicos, como los sofocos, y los estudios han demostrado que las isoflavonas ayudan a prevenir los cánceres de mama y de próstata, que están relacionados con las hormonas. Además, la soja contiene vitamina E, el antioxidante que protege a las células de los daños causados por los radicales libres, y vitamina B, que ayuda a mantener el sistema nervioso y a controlar el estrés.

EL USO DE LA SOJA

Los granos crudos pueden resultar lentos de preparar pero el tofu y la leche de soja conservan la mayor parte de sus componentes nutritivos. El tofu puede sustituir la carne y el pescado, mientras que la leche y el yogur de soja constituyen alternativas saludables de sus contrapartidas lácteas.

ACERCA DE LA SOJA

• La soja suele estar modificada genéticamente. Se aconseja optar por los productos orgánicos o que no han sufrido manipulación.

• La soja contiene más proteínas que los productos lácteos y carece por completo de colesterol.

• Las personas alérgicas a la soja podrían presentar intolerancia a los cacahuetes, los garbanzos, las judías blancas, el trigo, el centeno y la cebada.

• La soja es uno de los pocos alimentos de origen vegetal que contienen los 8 aminoácidos esenciales.

• Los granos de soja tiernos son populares en Japón, donde los hierven y los sirven enteros como aperitivo.

REVOLTILLO DE TOFU *4 raciones*

1 cucharada de salsa de soja
1 cucharada de albahaca fresca picada fina
1 cucharada de perejil fresco picado fino
2 cucharadas de aceite de oliva
2 cebollas frescas en rodajas
225 g de tofu blando desmenuzado

Mezclar la salsa de soja y las hierbas. Calentar el aceite de oliva en una sartén y dorar las cebollas. Añadir el tofu y remover. Añadir la mezcla de hierbas con salsa de soja y freír removiendo durante 3 minutos. Servir sobre tostadas de centeno.

tirabeque

SUSTANCIAS NUTRITIVAS Vitaminas B1, B2, B3, B5 y C, betacaroteno, biotina, calcio, hierro, fibra

Esta vaina tierna tiene un sabor dulce y delicado, y muchos beneficios para la salud.

Ricos en vitamina B, los tirabeques ayudan a conservar la energía y refuerzan los tejidos nerviosos y musculares. Contienen vitamina B5, que estimula el sistema inmunológico, y vitamina C, sustancia antioxidante. Los tirabeques son una buena fuente de fibra, lo que ayuda a reducir el colesterol y fomentar la salud del sistema digestivo.

REVOLTILLO DE TIRABEQUES *4 raciones*

2 cucharadas de aceite de sésamo
600 g de tofu duro cortado en dados
25 g de mantequilla
2 dientes de ajo machacados
2 chiles rojos desgranados y picados finos
2 cucharaditas de jengibre tierno rallado
750 g de tirabeques enteros
2 cucharadas de salsa de soja

Calentar el aceite en un wok y freír el tofu removiéndolo hasta que se dore. Guardar. Añadir el aceite restante y la mantequilla y freír removiendo el ajo, los chiles y el jengibre. Añadir los tirabeques y freír removiendo hasta que se reblandezcan. Devolver el tofu al wok, mezclar, añadir la salsa de soja y servir.

Los tirabeques se consumen más por las vainas que por los granos.

pavo

Habitualmente reservado para ocasiones festivas, el pavo es nutritivo y puede constituir uno de nuestros aliados cotidianos.

SUSTANCIAS NUTRITIVAS Vitaminas B3, B6 y B12, hierro, selenio, cinc, proteínas

Bajo en grasas y excelente fuente de proteínas, el pavo es rico en cinc, el elemento que refuerza nuestro sistema inmunológico. También contiene selenio, que ayuda a reparar el ADN celular y reduce el riesgo de cáncer. El pavo rebosa vitamina B, necesaria para la salud del sistema nervioso e importante para el control de los niveles de homocisteína en la sangre; se trata de una sustancia tóxica que resulta de la descomposición de los aminoácidos y está relacionada con las dolencias cardíacas.

> La carne roja del muslo del pavo contiene el doble de hierro y el triple de cinc que la carne blanca de la pechuga.

SÁNDWICH DE PAVO ESPECIAL *1 ración*

½ aguacate
2 rebanadas de pan integral
hojas de espinacas frescas
filetes de pavo cocidos
1 cebolla tierna picada fina
1 tomate cortado en rodajas
un poco de mostaza integral
   (opcional)

Sacar la pulpa del aguacate y untar con ella el pan a modo de mantequilla. Alternar capas de espinaca y pavo encima de una rebanada y cubrir con la cebolla, el tomate y la mostaza (si se desea). Cerrar el sándwich y comer inmediatamente.

gallina de Guinea

SUSTANCIAS NUTRITIVAS Vitaminas B3, B6 y B12, hierro, proteínas

Esta carne rica en proteínas contiene muchas sustancias nutritivas.

Ave de caza originaria de África occidental, la gallina de Guinea es baja en grasas y una fuente saludable de proteínas. Contiene importantes niveles de vitamina B6, necesaria para sintetizar la cisteína, importante aminoácido, y facilita la eliminación de las materias residuales del organismo. Como sucede con todas las carnes, la gallina de Guinea contiene vitamina B12, que refuerza la eficacia del sistema nervioso, y hierro, tan necesario para la salud de la sangre.

Hay que optar por la gallina de Guinea orgánica, ya que su alimentación es mucho más nutritiva.

GALLINA DE GUINEA A LAS HIERBAS *2 raciones*

1 cucharada de perejil fresco picado
1 cucharada de estragón fresco picado
2 pechugas de gallina de Guinea
sal y pimienta negra
2 cucharaditas de aceite de oliva

Precalentar el horno a 200 ºC (hornos de gas al 6). Meter las hierbas picadas bajo la piel del ave y sazonar. En una sartén calentar el aceite de oliva y freír las pechugas durante 2 minutos por cada lado para que se doren. Meter en el horno y cocer 8 minutos más.

faisán

Rico en vitamina B y proteínas, el faisán es una buena fuente de energía.

El faisán es, con mucho, la más abundante y popular de las aves de caza. Su carne contiene más sustancias grasas que otras aves pero la grasa principal es del saludable tipo monoinsaturado, muy conveniente. También contiene niveles importantes de sustancias nutritivas y su consumo periódico resulta muy beneficioso. Es una fuente útil de vitamina B6, necesaria para la producción de fagocitos y la salud de las células de nuestro organismo, y vitaminas B2, B3 y B12, vitales para la salud del sistema nervioso y la estabilidad de nuestros niveles de energía. Es además una fuente excelente de hierro y cinc, minerales que refuerzan el sistema inmunológico. Sin embargo, el faisán es rico en purinas y los pacientes con gota deberían evitar su consumo.

El faisán llegó a Europa a través de la China.

SUSTANCIAS NUTRITIVAS Vitaminas B2, B3, B6 y B12, hierro, potasio, cinc, proteínas

REVOLTILLO DE FAISÁN
2 raciones

2 mitades de pechuga de faisán sin la piel
2 cucharadas de aceite de sésamo
10 setas portobello cortadas en rodajas
1 pimiento rojo picado
1 cebolla picada fina
2 cucharaditas de salsa soja tamari

Cortar el faisán en trozos grandes y freír a fuego lento hasta que se doren. Añadir la cebolla, la pimienta y las setas, y freír removiendo unos 6 minutos hasta que las verduras se reblandezcan y el faisán esté bien hecho. Añadir la salsa de soja y servir con arroz o fideos integrales.

pato

SUSTANCIAS NUTRITIVAS Vitamina B2, hierro, cinc, proteínas

El pato resulta delicioso al horno o frito y es una excelente fuente de vitamina B2, nuestra aliada contra el estrés.

El pato es una variedad popular y muy sabrosa de ave de corral, además de una fuente excelente de sustancias nutritivas inmunizantes. Aunque presenta un alto contenido en colesterol, contiene pocas grasas saturadas. La pechuga de pato sin piel es más magra si se quita la piel. La carne de pato proporciona abundantes proteínas y el hierro necesario para la reparación de los tejidos y la creación de células nuevas. El consumo de pato ayuda también a combatir el estrés, ya que contiene vitamina B2 que, además, fomenta la producción de células inmunológicas.

Los chinos fueron los primeros en domesticar a los patos, que aprecian por sus huevos.

PATO GLASEADO CON MIEL Y MOSTAZA *2 raciones*

1 cucharada de miel líquida
1 cucharada de mostaza integral
2 pechugas de pato sin la piel
2 cabezas de bok choi sin las
   hojas exteriores, cortadas
   en tiras
aceite para asar y freír
110 g de arroz integral hervido

Precalentar el horno a 190 ºC. En un cuenco mezclar la miel con la mostaza para hacer la marinada. Untar las pechugas de pato con la marinada y colocarlas en una fuente para horno engrasada. Verter los restos de la marinada, si los hay. Cubrir

y asar 20 minutos o hasta que la carne esté bien hecha. Mientras, freír el bok choi en un poco de aceite, removiéndolo. Cuando las pechugas estén listas dejar reposar unos minutos antes de servirlas con el arroz recién hervido y el bok choi.

pollo

Esta carne inmensamente popular y versátil posee muchas propiedades aliadas de la salud.

El pollo constituye una buena fuente de selenio, el antioxidante que combate las infecciones y que a menudo escasea en nuestra dieta. Contiene lisina, un aminoácido antivírico que combate el virus del resfriado. Contiene, además, vitaminas B3 y B6, que activan la salud del sistema nervioso. Fuente útil de proteínas y bajo en grasas una vez retirada la piel, el pollo contribuye al crecimiento y reparación de todas las células de nuestro organismo.

SUSTANCIAS NUTRITIVAS Vitaminas B3 y B6, potasio, selenio, lisina, proteínas

POLLO A LA CAZUELA
4 raciones

3 cucharadas de aceite de oliva
2 cebollas cortadas en rodajas
8 muslos de pollo sin la piel
1 cucharada de harina de trigo salpimentada
300 ml de caldo vegetal
la piel rallada de 1 naranja
el zumo de 2 naranjas
150 ml de vino blanco
5 setas portobello en rodajas

Calentar en una sartén 2 cucharadas de aceite, añadir las cebollas y freír 10 minutos. Poner en un plato. Rebozar el pollo con la harina, calentar el aceite restante, añadir el pollo y dorar. Añadir el caldo, las cebollas, el zumo y la ralladura de naranja, y el vino blanco. Llevar a ebullición, cubrir y cocer a fuego lento 25 minutos. Añadir las setas, remover y cocer 5 minutos más. Servir con arroz.

atún fresco

SUSTANCIAS NUTRITIVAS Vitaminas
B3, B6, B12, D y E, iodino, selenio,
ácidos grasos omega 3

Miembro de la familia de la caballa, el atún es rico
en aceites saludables y minerales aliados del
sistema inmunológico.

El atún contiene vitamina E y selenio, necesarios para la producción de anticuerpos inmunizantes, además de mucha vitamina B, que refuerza nuestra energía. Como otros pescados
grasos, presenta altos niveles de ácidos grasos omega 3, una
familia de ácidos grasos esenciales que ayudan a prevenir las
dolencias cardíacas, el cáncer y la depresión. Los omega 3 desempeñan un papel en el equilibrio del sistema inmunológico y
atenúan las reacciones alérgicas. Son además antiinflamatorios
y alivian la artritis reumatoide y los eccemas.

*Hay que optar
siempre por el atún
fresco, ya que el
proceso de enlatado
destruye los ácidos
grasos omega 3.*

NIÇOISE DE ATÚN *4 raciones*

el zumo de 1 limón
½ cucharadita de sal
1 cucharadita de mostaza de
Dijon
5 cucharadas de aceite de oliva
una pizca de pimienta negra
4 filetes de atún
4 patatas medianas hervidas
y cortadas en rodajas

115 g de judías verdes
115 g de hojas de verduras
varias para ensalada
4 tomates troceados
un puñado de olivas negras

Mezclar el zumo de limón, la sal,
la mostaza, el aceite de oliva y la
pimienta negra. Colocar los filetes

de atún en una fuente plana y
untarlos con la vinagreta. Enfriar
en la nevera durante 1 hora y,
a continuación, gratinar durante
4-6 minutos. Mezclar todas las
verduras en una gran ensaladera
y rociar con la vinagreta restante.
Colocar encima los filetes de atún
y servir.

salmón

El salmón presenta un alto contenido en aceites saludables, cruciales para la salud del sistema inmunológico.

El salmón es una fuente excelente de ácidos grasos omega 3, que regulan la actividad de los leucocitos y poseen propiedades antiinflamatorias. Asimismo, ayudan a controlar los niveles de colesterol y de grasa, protegen el sistema cardiovascular y reducen el riesgo de dolencias cardíacas y otros problemas circulatorios. El salmón es rico en muchas sustancias antioxidantes, incluida la vitamina A, que fomenta la salud de la sangre y el sistema nervioso; la vitamina D, que facilita la absorción del calcio y favorece la salud de los huesos; y el selenio, poderoso mineral antioxidante que también fomenta la producción de anticuerpos.

Para maximizar los beneficios del consumo de este pescado, hay que optar por el salmón de mar o de piscifactorías orgánicas.

SUSTANCIAS NUTRITIVAS Vitaminas A, B12, D y folato, selenio, ácidos grasos omega 3

TARTAS DE SALMÓN
2 raciones

2 pequeños filetes de salmón sin piel ni espinas
4 patatas pequeñas peladas y picadas
2 cucharadas de aceite de oliva
1 cebolla picada fina
1 huevo batido
perejil fresco picado

Asar el salmón o hervirlo al vapor durante 20 minutos hasta que esté bien hecho. Hervir las patatas y deshacerlas en puré. Saltear la cebolla en 1 cucharada de aceite hasta que se reblandezca. Mezclar todos los ingredientes (menos el aceite) y formar 8 pequeñas tartas. Enfriar en la nevera durante 1 hora. Freír las tartas en el aceite restante a fuego lento hasta que estén crujientes por ambos lados. Servir.

caballa

SUSTANCIAS NUTRITIVAS Vitaminas B3, B6, B12 y D, iodino, potasio, selenio, ácidos grasos omega 3

Una comida semanal de pescados grasos como la caballa ayuda a prevenir las afecciones cardíacas.

La caballa rebosa sustancias nutritivas y es uno de los pescados más saludables.

La caballa es una fuente excelente de ácidos grasos omega 3, que ayudan a mantener bajo el nivel de colesterol y, según los estudios, podrían ser también eficaces en la prevención del cáncer y las depresiones. Los ácidos grasos omega 3 son también importantes para la salud de la piel y las articulaciones. La caballa contiene vitamina B6, que nuestro cuerpo necesita para producir aminoácidos cruciales para el sistema inmunológico, y es una de las pocas fuentes alimenticias de vitamina D, esencial para el buen desarrollo del sistema óseo. Asimismo, la caballa es rica en selenio, el mineral antioxidante tan vital para las funciones inmunológicas.

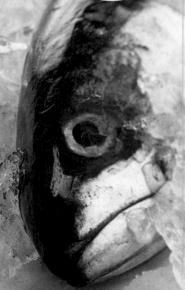

ENSALADA DE CABALLA SOASADA CON HINOJO *4 raciones*

2 bulbos de hinojo cortado
1 cucharada de aceite de oliva
4 dientes de ajo
4 naranjas peladas y troceadas
4 caballas frescas en filetes

Precalentar el horno a 200 °C (hornos de gas al 6). Colocar el hinojo y el ajo en una fuente, rociar con el aceite de oliva y hornear durante 15 minutos. Añadir la naranja y asar durante 5 minutos más. En una sartén freír la caballa en el aceite de oliva restante durante 5 minutos. Añadir los ingredientes asados, mezclar durante 2 minutos y servir.

082

boquerón

Este pescado pequeño y graso es una buena fuente de proteínas y ácidos grasos omega 3.

SUSTANCIAS NUTRITIVAS Vitaminas B2, B3 y D, calcio, hierro, fósforo, ácidos grasos omega 3, proteínas

El boquerón es rico en ácidos grasos omega 3, que nuestro cuerpo convierte en prostaglandinas, sustancias esenciales para las funciones inmunológicas que además reducen las inflamaciones, controlan los niveles de colesterol y levantan el ánimo. Es asimismo una de las mejores fuentes de vitamina D, que el organismo necesita para moderar el sistema inmunológico, reduciendo su actividad cuando es necesario. La vitamina D es también vital para la salud de los huesos. El boquerón contiene proteínas y vitamina B, ambas necesarias para la producción de energía. Conservado en salmuera y aceite se denomina anchoa.

El boquerón es rico en hierro, crucial para la salud de la sangre y del sistema circulatorio.

TOSTADAS CON ANCHOAS *4 raciones*

4 rebanadas de pan de centeno
1 diente de ajo machacado
2 cucharadas de aceite de oliva
sal y pimienta negra
100 g de tomates cherry
   cortados en rodajas
55 g de anchoa en aceite,
   escurridos

Gratinar ligeramente el pan de centeno por ambos lados. Entretanto, mezclar en una taza el ajo con el aceite de oliva y untar las tostadas con la mezcla. Colocar encima los tomates y las anchoas, sazonar y servir.

gamba

SUSTANCIAS NUTRITIVAS Vitaminas B3 y B12, calcio, iodino, magnesio, fósforo, potasio, selenio, cinc, proteínas

Los crustáceos más populares del mundo son ricos en sustancias nutritivas.

Las gambas contienen altos niveles de minerales esenciales para las funciones inmunológicas, incluido el cinc, que el organismo necesita para producir enzimas que combaten el cáncer y contribuyen al desarrollo de otras células inmunológicas. Estos crustáceos contienen también selenio, potente mineral antioxidante que fomenta la producción de anticuerpos y aumenta la eficacia de las células blancas en la localización de los invasores indeseables. Son una buena fuente de proteínas, necesaria para la salud de los tejidos y el aumento de las energías.

GAMBAS CON SALSA DE PIMIENTO *4 raciones*

4 pimientos rojos picados
1 tomate picado
2 dientes de ajo machacados
2 cucharadas de perejil fresco picado
1 cucharada de vinagre de vino blanco
800 g de gambas cocidas
1 lechuga

Colocar los pimientos en una fuente y hornear durante 10 minutos. Mezclar en una ensaladera con el tomate, el ajo, el perejil y el vinagre. Desmenuzar la lechuga y repartir las hojas en 4 cuencos. Pelar las gambas y repartirlas en los cuencos antes de cubrirlas con la mezcla de pimiento.

ostra

Nos guste o no, la ostra rebosa sustancias minerales.

Las ostras contienen altos niveles de dos minerales esenciales para el sistema inmunológico: selenio y cinc. A ellos deben las ostras su reputación de afrodisíacas, puesto que el cinc, sobre todo, es vital para la salud de los órganos reproductivos, además de aumentar nuestra resistencia a los resfriados y otras enfermedades. Las ostras contienen vitamina E y ácidos grasos omega 3, beneficiosos para el corazón, además de vitamina B, importante para la función cerebral. Las ostras son fuente de vitamina D, necesaria para la salud de los huesos y de los dientes.

Las ostras tardan al menos tres años en crecer, y hasta siete cuando se trata de las «reales».

SUSTANCIAS NUTRITIVAS Vitaminas B3, B12 y D, calcio, magnesio, selenio, cinc, ácidos grasos omega 3

OSTRAS TOSTADAS
4 raciones

16 ostras
4 cucharadas de harina
de avena
pimienta negra recién molida
55 g de mantequilla
el zumo de 1 limón

Quitar las ostras de las conchas y esparcirlas sobre un papel de cocina para eliminar el exceso de líquido. Colocar la harina de avena en un plato, sazonar con la pimienta y enrollar las ostras con una capa delgada de la mezcla. Derretir la mantequilla en una sartén y freír las ostras durante 2 minutos. Aliñarlas con limón y servir.

yogur bio

SUSTANCIAS NUTRITIVAS Vitaminas B2, B12; calcio, magnesio, fósforo, potasio

Conocido también como yogur macrobiótico, es uno de los salvadores del sistema inmunológico.

Mejor optar por el yogur natural, ya que las variedades aromatizadas contienen mucho azúcar o edulcorante.

Contiene lactobacilos y bacterias bífidas, que refuerzan las funciones inmunológicas. Un intestino sano debe rebosar de ambos, pero el estrés, los antibióticos y las dietas deficientes permiten la proliferación de bacterias «enemigas». Un yogur bio al día ayuda a restablecer el equilibrio, refuerza el organismo en su lucha contra las infecciones y permite que el intestino absorba eficazmente otros nutrientes esenciales. El yogur estimula la producción de agentes antivíricos, que ayudan a prevenir el cáncer. Es una fuente excelente de calcio, y los que presentan intolerancia a la leche a menudo lo toleran.

YOGUR DE MANZANA CON TROPEZONES *1 ración*

1 tarro pequeño de yogur bio natural
2 cucharadas de pepitas de girasol
1 manzana verde sin el corazón y las semillas

Trocear la manzana y colocar en un cuenco pequeño. Cubrir con el yogur, espolvorear las pipas y comer inmediatamente. Puede constituir un desayuno o un tentempié a cualquier hora del día.

hierbabuena

Esta variedad de menta de hojas oscuras y sabor penetrante ayuda a combatir los resfriados y la gripe.

SUSTANCIAS NUTRITIVAS Vitaminas B2, B3, C y E, betacaroteno, folato, calcio, hierro, magnesio, aceites esenciales

La hierbabuena contiene mentol, un aceite esencial que alivia la congestión de los resfriados y las infecciones de pecho. Fomenta además la secreción de jugos digestivos, característica que hace de la hierbabuena un útil remedio contra la indigestión. Es calmante y antiinflamatoria, y una buena fuente de hierro, necesario para la salud de la sangre, y de calcio, que fortalece nuestros huesos y dientes.

PIPERADA *1 ración*

1 pimiento amarillo vaciado, desgranado y cortado en rodajas
1 cebolla cortada en rodajas
3 cucharadas de aceite de oliva
2 tomates medianos cortados en rodajas
una pizca de pimienta roja
1 cucharada de hierbabuena fresca picada fina
1 huevo

Freír en el aceite y a fuego lento el pimiento y la cebolla hasta que esta se dore. Añadir los tomates, la pimienta roja y la hierbabuena. Remover 2 minutos, romper el huevo sobre las verduras y cocer hasta que la yema esté hecha. Servir inmediatamente.

El mentol perfuma nuestro aliento. Basta con masticar una hoja de hierbabuena después de ingerir alimentos picantes.

manzanilla

Capaz de calmar los nervios, esta planta medicinal es una de las hierbas curativas más extendida.

SUSTANCIAS NUTRITIVAS
Flavonoides, taninas, cumarinas, ácido valeriánico

La manzanilla contiene flavonoides antioxidantes que ayudan a combatir los radicales libres perjudiciales y nos protegen de las infecciones y las enfermedades. Uno de estos flavonoides, la cuercetina, posee importantes propiedades antiinflamatorias y es útil para calmar el aparato digestivo. La manzanilla es un sedante suave e, ingerida en forma de infusión, ayuda a dormir y calma los nervios, facilitando la función eficaz del sistema inmunológico.

INFUSIÓN PARA DORMIR
1 taza

2 cucharaditas de manzanilla
1 cucharadita de valeriana
1 cucharadita de hojas de flor
de la pasión
miel líquida

Calentar la tetera y meter dentro la hierba. Añadir 1 taza de agua hirviendo. Dejar reposar durante 10 minutos, escurrir. Edulcorar con miel.

Las bolsitas de manzanilla enfriadas alivian la irritación ocular debida a las infecciones.

088

equinácea

Esta hierba constituye el más importante estimulante del sistema inmunológico.

Renombrada por su capacidad de combatir resfriados y otras afecciones, la equinácea incluye entre sus ingredientes activos la equinacina, sustancia que ayuda a evitar que los microbios causantes de enfermedades invadan las células del organismo. Esta hierba contiene también glucosidas denominados equinacosidas, que actúan como antibióticos naturales. Además de ayudar a prevenir los resfriados, la gripe y otras infecciones, la equinácea es antifúngica y capaz de estimular la respuesta inmunológica y calmar las reacciones alérgicas.

La ingestión de equinácea en invierno refuerza nuestra resistencia a las enfermedades.

SUSTANCIAS NUTRITIVAS Equinacina, glucosidas, aceites esenciales

INFUSIÓN DE EQUINÁCEA Y ORTIGA *1 ración*

2 cucharaditas de ortigas picadas
1 cucharadita de equinácea picada
1 cucharadita de amor de hortelano
1 cucharadita de tomillo seco
1 cucharadita de borraja seca
1 cucharadita de regaliz seca

Mezclar las ortigas con las hierbas en una tetera. Añadir agua hirviendo y dejar 10 minutos. Beber.

tomillo

SUSTANCIAS NUTRITIVAS

Betacaroteno, calcio, magnesio, manganeso, flavonoides, aceites esenciales

POLLO AL TOMILLO *4 raciones*

4 mitades de pechuga de pollo deshuesada y sin la piel
8 tallos de tomillo fresco
1 limón cortado en cuartos
1 cucharada de aceite de oliva

Precalentar el horno a 200 ºC (hornos de gas al 5). Realizar un corte en cada mitad de pechuga y rellenarlas con 2 tallos de tomillo y 1 cuarto de limón. Colocar en una fuente para hornos, rociar con el aceite y cocer durante 30 minutos. Servir con patatas o con arroz.

Esta hierba mediterránea tiene un aroma embriagador y protege de las enfermedades.

Contiene altos niveles de timol, un poderoso aceite antiséptico que combate las infecciones del aparato respiratorio, incluidas la bronquitis, la laringitis y la tos ferina, además de aliviar los síntomas del asma. Es también antiespasmódico y, por tanto, útil para el alivio de la irritación e inflamación de los intestinos. Tiene efectos antifúngicos y ayuda a combatir la cándida, además de ser útil en forma de compresa para el tratamiento localizado de las afecciones cutáneas causadas por hongos.

El tomillo es una hierba versátil que se puede usar en forma de infusión o para sazonar la comida.

flor de saúco

La flor del saúco es un remedio tradicional contra la tos, los resfriados y la fiebre del heno.

La flor de saúco es rica en flavonoides aliados de la buena circulación, incluida la rutina, que ayuda a tonificar los vasos capilares. También contiene colina, miembro de la familia de la vitamina B que refuerza la función cerebral, y glucosidas, que poseen grandes propiedades medicinales. La flor de saúco facilita la sudoración, fomenta la desintoxicación y aumenta nuestra resistencia general a las enfermedades. También es útil para tratar la gota y calmar las reacciones alérgicas.

La flor de saúco contiene sustancias que ayudan a aliviar los catarros.

SUSTANCIAS NUTRITIVAS Vitamina C, flavonoides, colina, glucosidas, ácidos grasos omega 3 y omega 6 (traza), pectina, taninas, aceites esenciales

REFRESCO DE FLOR DE SAÚCO *1 taza*

100 ml de agua hirviendo
1 cucharadita de miel
1 cabeza de flores de saúco frescas
1 rodaja de lima
cubitos de hielo

Colocar las flores de saúco en un cuenco y añadir el agua y la miel. Cubrir y dejar reposar la infusión hasta que se enfríe. Escurrir y servir en un vaso con el hielo.

romero

SUSTANCIAS NUTRITIVAS
Betacaroteno, calcio, hierro,
magnesio, saponinas, flavonoides,
aceites esenciales

**INFUSIÓN DE ROMERO
CALMANTE** *1 taza*

**1 cucharadita de romero seco
1 cucharadita de mejorana seca
1 cucharadita de matricaria
1 cucharadita de hierbabuena
seca**

Mezclar bien las hierbas y
colocarlas en la tetera. Añadir
una taza de agua hirviendo y
dejar reposar la infusión durante
10 minutos. Escurrir y beber.

Esta hierba de fragancia embriagadora y sabor
delicioso posee muchas propiedades saludables.

Hierba de sabor penetrante, el romero es conocido por sus efectos beneficiosos para la circulación. Contiene flavonoides, que
fortalecen los vasos capilares. El romero tonifica el corazón y el
sistema digestivo, y es rico en aceites bioactivos de efecto antimicrobiano, característica que lo hace útil para combatir los res-
fríados. Contiene minerales —como el hierro— que refuerzan el
sistema inmunológico, y altos niveles de saponinas, compuestos vegetales de propiedades desintoxicantes.

salvia

Con un penetrante aroma, la salvia es una hierba muy utilizada.

La salvia posee propiedades antibacterianas y antimucosas, y nos ayuda a combatir los resfriados, a aliviar los catarros y a eliminar los gérmenes. Gracias a sus propiedades antisépticas, es excelente contra los problemas de las encías y, en forma de infusión o líquido para hacer gárgaras, alivia la irritación de la garganta. Las infusiones de salvia tomadas después de la comida combaten la indigestión y la hinchazón, puesto que es una hierba antiespasmódica. Poner 1 cucharadita de salvia seca en una taza y añadir agua hervida y ya enfriada. Dejar reposar 15 minutos, escurrir y beber.

SUSTANCIAS NUTRITIVAS
Betacaroteno, calcio, magnesio, flavonoides, taninas, saponinas, aceites esenciales

RELLENO DE SALVIA SIMPLE *4 raciones*

225 g de cebolla
115 g de migas de pan tierno
1 cucharadita de salvia seca
pimienta negra
25 g de mantequilla derretida

Precalentar el horno a 200 °C (hornos de gas al 6). Cortar las cebollas en cuartos y cocerlas en agua hirviendo. Escurrir y picarlas finas. Colocarlas en una fuente, añadir las migas, la salvia y la pimienta y la mantequilla derretida. Repartir cucharadas de la mezcla sobre la superficie de una fuente para hornos previamente untada con mantequilla y asar durante 15 minutos. Servir con carne y verduras.

La salvia posee propiedades estimulantes y deberían evitarla las mujeres embarazadas y las personas epilépticas.

té verde

SUSTANCIAS NUTRITIVAS Vitamina C, flavonoides

Además de una infusión original y distinta, el té verde es un arsenal de nutrientes saludables.

El té verde procede de la *camelia sinensis*, la planta de la que proviene el té negro común, aunque es procesado de otra manera y conserva importantes nutrientes. Crece en las regiones más altas de los países con clima cálido y húmedo, como la India y Japón. No obstante, el mayor productor de té es China. Sus propiedades medicinales se conocen desde hace 4.000 años. Su sabor es refrescante y astringente.

LAS PROPIEDADES INMUNOLÓGICAS DEL TÉ VERDE

Esta humilde infusión de sabor intenso es un arsenal de polifenoles, poderosos flavonoides antioxidantes que neutralizan los radicales libres perjudiciales y previenen las enfermedades. Los polifenoles del té incluyen las catequinas, que contrarrestan la acción de los agentes cancerígenos. También posee propiedades antiinflamatorias y puede prevenir el asma. El té verde reduce la presión arterial y el colesterol, el endurecimiento de las arterias, y el riesgo de dolencias cardíacas y embolias. Sus propiedades antibacterianas le permiten combatir la caries y las enfermedades que afectan a las encías.

EL USO DEL TÉ VERDE

Para obtener el máximo de beneficios: dejar reposar la infusión durante, al menos, 5 minutos. El té verde se encuentra al granel y también en bolsitas preparadas, mezclado con manzana y limón para darle sabor, o con la digestiva hierbabuena y el ginkgo biloba, aliado de las funciones cerebrales. Si es posible, optar por un té verde molido de alta calidad y preferiblemente orgánico. Es mejor tomarlo sin leche, aunque se le puede añadir limón o miel para darle sabor.

ACERCA DEL TÉ VERDE

• Aunque el té verde contiene menos cafeína que el té negro, sigue teniendo efectos estimulantes y no se debería tomar antes de dormir ni por personas propensas a la ansiedad.

• Los antiguos griegos llamaban al té «hoja divina» y lo utilizaban para tratar las dolencias respiratorias, como el asma y los resfriados.

• La capacidad del té verde de combatir los radicales libres significa que posee grandes propiedades contra el envejecimiento.

TÉ CON MENTA MARROQUÍ
4 raciones

**2 cucharadas de té verde
molido
1 litro de agua hirviendo
un buen manojo de menta fresca
azúcar moreno para endulzar**

Colocar el té en la tetera, cubrir con agua hirviendo y dejar reposar 3 minutos. Lavar la menta, reservar algunos tallos para servir y añadir el resto a la tetera. Dejar reposar durante 5 minutos más. Repartir en vasos, añadir azúcar, si se desea, y adornar con los tallos de menta reservados.

jengibre

SUSTANCIAS NUTRITIVAS Fenoles, aceites esenciales

Natural de la India y China, el jengibre es ideal para aliviar la gripe y los resfriados.

El jengibre favorece la buena circulación y desintoxica el organismo. Sus aceites poseen grandes propiedades antisépticas y expectorantes, que hacen de él un remedio útil para los resfriados y las infecciones bronquiales: probar una infusión de agua caliente vertida sobre jengibre fresco rallado. Los estudios demuestran que el jengibre contrarresta las náuseas y puede combatir los mareos durante el viaje o debidos a un embarazo. También ayuda a aliviar los problemas digestivos.

REVOLTILLO DE JENGIBRE CON TOFU *4 raciones*

6 dientes de ajo machacados
1 jengibre fresco rallado
1 paquete de tofu a dados
salsa de soja
pimienta roja a discreción
4 cucharadas de aceite de oliva
1 brócoli cortado en floretes
1 pimiento verde picado
400 g de judías verdes
100 g de almendras peladas

Colocar en un cuenco el ajo, el jengibre, la pimienta roja y el tofu, y rociar con salsa de soja suficiente para cubrirlos. Dejar marinar 10 minutos. Calentar el aceite en un wok y añadir la marinada de tofu, las verduras y las judías verdes. Freír removiendo hasta que estén poco hechas. Añadir las almendras, remover bien, retirar del fuego y servir.

comino negro

Conocido también como *nigella*, es un tradicional remedio asiático contra los trastornos gastrointestinales.

El comino negro es una especia valorada desde antiguo en Asia por sus propiedades medicinales. Estudios recientes sugieren que posee grandes propiedades antimicrobianas y antibacterianas, y que facilita la recuperación del sistema digestivo tras las intoxicaciones alimentarias. Sus ácidos grasos esenciales equilibran el sistema inmunológico y moderan las reacciones alérgicas, mientras que su aceite estimula la respuesta inmunológica y nos protege del cáncer. El comino negro ejerce también efectos antimucosos y combate con eficacia los resfriados y otras infecciones del sistema respiratorio.

SUSTANCIAS NUTRITIVAS Vitaminas B1 y B2, manganeso, potasio, ácidos grasos omega 3 y omega 6, aceites esenciales

TÉ PICANTE *1 ración*

1 cucharada de comino negro
1 cucharadita de miel líquida
agua hirviendo

Colocar los granos y la miel en una taza y añadir agua hirviendo suficiente para llenarla, removiendo continuamente. Cubrir y dejar reposar 10 minutos para que se mezclen bien los sabores.

Sus granos despiden un olor picante si los frotamos entre los dedos y liberan un sabor penetrante en la comida.

cúrcuma

SUSTANCIAS NUTRITIVAS Vitamina B3, calcio, hierro, curcumina

Usada como alternativa económica del azafrán, esta especia debe ser valorada por sus propias virtudes.

La cúrcuma contiene curcumina, poderosa sustancia química antioxidante que depura los agentes carcinógenos y calma las inflamaciones, siendo útil para el alivio de estados como la artritis reumatoide y las alergias. La curcumina previene la acumulación de depósitos grasos en las arterias y así nos protege de distintas patologías, como el Alzheimer y las dolencias cardíacas. Asimismo, inhibe el crecimiento de las células cancerosas.

ARROZ FRAGANTE
4 raciones

400 g de arroz basmati
3 cucharadas de piñones
3 cucharadas de aceite de oliva
2 cebollas grandes picadas
3 cucharadas de uvas pasas
½ cucharadita de cúrcuma

Dejar el arroz en remojo 1 hora y escurrir. Dorar los piñones en el aceite, añadir las cebollas y dorarlas. Añadir las pasas, el arroz y la cúrcuma, remover y añadir agua hasta cubrir todo. Llevar a ebullición, y cocer a fuego lento hasta que se absorba el agua. Añadir agua y cocer a fuego lento hasta que el arroz esté hecho (unos 20 minutos). Servir inmediatamente.

rábano picante

Este pariente cercano de la mostaza ayuda a combatir las infecciones y favorece la circulación.

El rábano picante posee propiedades antiespasmódicas, facilita el flujo de la bilis y es especialmente bueno contra la sinusitis. Es un poderoso estimulante del riego sanguíneo, a la vez que facilita la digestión. Sus propiedades antibacterianas lo convierten en un remedio útil contra los resfriados, mientras que el aceite esencial de mostaza le brinda propiedades expectorantes, que son beneficiosas para el alivio de los catarros. Su contenido en vitamina C refuerza el sistema inmunológico en general.

SUSTANCIAS NUTRITIVAS Vitamina C, calcio, magnesio, fósforo, aceites esenciales

Las personas con hipotiroidismo no deberían consumir rábano picante.

SALSA DE RÁBANO PICANTE Y MANZANA *1 cuenco pequeño*

2 manzanas sin el corazón, peladas y ralladas
2 cucharadas de rábano recién rallado
el zumo de 1 limón
1 cucharadita de sal
2 cucharaditas de menta fresca picada fina

200 ml de nata o queso fresco

Mezclar bien todos los ingredientes en un cuenco. Enfriar en la nevera durante 1 hora y servir para acompañar carne o verduras.

ajo

SUSTANCIAS NUTRITIVAS Vitamina B6, hierro, magnesio, fósforo, selenio, cinc, aminoácidos, aceites esenciales

Indispensable en la cocina, este bulbo de sabor intenso posee muchas propiedades terapéuticas.

Usado ampliamente en todo el mundo, el ajo proviene de Asia Central. Lo utilizaban en Egipto y la antigua Grecia, donde desempeñaba un papel en los rituales, además de constituir un importante alimento medicinal. Tradicionalmente, el ajo se usaba para combatir distintas enfermedades, desde los trastornos gastrointestinales hasta las infecciones respiratorias.

LAS PROPIEDADES INMUNOLÓGICAS DEL AJO

El ajo es un poderoso agente antimicrobiano, fomenta la producción de leucocitos y combate las bacterias, los parásitos, los hongos y los virus. Estas propiedades lo convierten en un arma útil contra varias dolencias, desde las infecciones y las intoxicaciones alimentarias hasta el resfriado común. El ajo refuerza la salud del corazón reduciendo los niveles de colesterol, y la allicina, aceite esencial presente en el bulbo, ayuda a suprimir la formación de tumores. El ajo es, además, un poderoso antioxidante, gracias a su contenido en aminoácidos, que refuerzan las funciones inmunológicas en general.

EL USO DEL AJO

Versátil y sabroso, el ajo se puede añadir a casi todos los platos para realzar su sabor. Un diente de ajo por comensal aportará plena acción saludable. Da sabor a los revoltillos, las salsas y las cazuelas y, una vez picado, se puede añadir crudo a las ensaladas y los aliños. El ajo se encuentra también en forma de suplemento.

ACERCA DEL AJO
• Hay que tener cuidado de no comer demasiado ajo cuando se toman medicamentos contra la hipertensión, ya que puede exagerar el efecto de este tipo de medicación.

• El perejil fresco ayuda a eliminar el olor a ajo de nuestro aliento.

• Los componentes sulfúricos del ajo pueden irritar las úlceras gástricas.

• Los bulbos del ajo se conservan mejor en lugares secos y frescos. Si el ambiente es demasiado húmedo, brotarán y, si es demasiado cálido, se convertirán en polvo gris.

ENSALADA DE TOMATE, ALBAHACA Y AJO *4 raciones*

800 g de tomates grandes y maduros cortados en rodajas
4 cucharadas de albahaca fresca picada gruesa
2 dientes de ajo picados finos
6 cucharadas de aceite de oliva
2 cucharadas de vinagre balsámico

sal y pimienta

Cubrir con los tomates el fondo de una gran ensaladera y esparcir encima el resto de los ingredientes. Servir inmediatamente.

mostaza en grano

SUSTANCIAS NUTRITIVAS Vitaminas B1, B2 y B3, carotenoides, calcio, hierro, magnesio, cinc, aceites esenciales

POLLO MASALA

4 raciones

2 cucharadas de ghi
2 cebollas cortadas en rodajas
2 cucharaditas de jengibre fresco rallado
2 dientes de ajo machacados
1 cucharadita de granos de mostaza negra
1 chile rojo desgranado y picado fino
2 cucharaditas de garam masala
2 cucharaditas de comino molido
4 pechugas de pollo
250 ml de agua
125 ml de leche de coco
1 cucharada de cilantro fresco picado

Calentar el ghi en un wok y freír las cebollas, el jengibre y el ajo, removiendo 2 minutos. Añadir los granos, el chile y las especias, y freír removiendo 3 minutos. Añadir el pollo y el agua y cocer a fuego lento sin tapar hasta que el agua se evapore y el pollo esté hecho. Añadir la leche de coco y el cilantro, remover y servir.

Su nombre latino, *mustum ardens*, significa literalmente «pasta ardiente». ¡No es difícil entender por qué!

Los poderosos aceites esenciales de los granos de la mostaza la hacen útil para combatir los resfriados. Estimulan la circulación y facilitan la sudoración, eliminando así los excesos de toxinas. Contiene también pequeñas cantidades de minerales inmunizantes, incluido el hierro, bueno para la circulación, y el cinc antioxidante, además de vitamina B, que refuerza nuestras energías.

El consumo excesivo de mostaza en grano puede causar irritaciones. Procurar utilizarla con medida.

pimienta roja o de Cayena

En realidad, es una variedad de chile molido muy fino y posee sus mismas propiedades.

La pimienta roja o de Cayena es un estimulante de la circulación, ayuda a dilatar los vasos sanguíneos y aumenta el riego sanguíneo a todas las partes del cuerpo. Esta característica la hace útil para aquellos que sufren debilidad y malestar general, como el síndrome de fatiga posvírica. Es además una potente sustancia antibacteriana, alivia los catarros y posee propiedades antioxidantes que ayudan a nuestro cuerpo a combatir el daño causado por los radicales libres.

SUSTANCIAS NUTRITIVAS Vitamina B3, carotenoides, calcio, hierro, magnesio, flavonoides, aceites esenciales

Las personas que sufren gastritis, úlcera de estómago o hipertensión deberían evitarla.

POLLO PICANTE *4 raciones*

1 cucharadita de pimienta roja
1 cucharadita de chiles picados
el zumo y la piel de 1 lima
1 cucharada de miel
1 cucharada de orégano seco
1 cucharada de albahaca seca
4 pechugas de pollo
125 g de nata

Mezclar en un cuenco la pimienta roja, los chiles, la lima, la miel y las hierbas. Untar las pechugas de pollo con la mezcla y dejar marinar durante 2 horas. Gratinar a fuego medio unos 30 minutos. Servir con la nata.

guía rápida

ACNÉ

Término médico para designar los granos, el acné es común en los adolescentes aunque también puede afectar a los adultos. Para fomentar la buena digestión y depurar la piel, eliminar el azúcar de la dieta y aumentar la ingestión de fibra en forma de frutas y verduras frescas. Contribuyen a ello el cinc y las vitaminas B, C y E.

Se recomienda

Aguacate (p. 24); yogur bio (p. 102); nueces de Brasil (p. 66); aceite de prímula (p. 73); ortiga (p. 30); avena (p. 76); salmón (p. 97); espinaca (p. 26); berro (p. 31).

ARTRITIS (REUMATOIDE)

La artritis reumatoide es una enfermedad inflamatoria y, por lo tanto, hay que evitar los alimentos que contribuyen a la inflamación: azúcar, carbohidratos refinados, cítricos y alcohol. Se recomienda una dieta rica en frutas y verduras antioxidantes, y que incluya frutos secos, cereales y pescados grasos para la salud de las articulaciones.

Se recomienda

remolacha (p. 16); brócoli (p. 36); caballa (p. 98); avena (p. 76); cebolla (p. 14); papaya (p. 41); piña (p. 40); semilla y aceite de sésamo (p. 74).

ASMA

Identificando y evitando los alimentos alergénicos (como la leche, el trigo, los frutos secos y el pescado), y limitando el consumo de grasas y azúcares, podemos controlar esta enfermedad respiratoria.

Se recomienda

comino negro (p. 113); brócoli (p. 35); zanahoria (p. 11); pimienta roja (p. 119); ajo (pp. 116-117); té verde (p. 110); rábano picante (p. 115); ortiga (p. 30); papaya (p. 41); pimiento rojo (p. 15); shiitake (pp. 20-21); boniato (p. 10).

BRONQUITIS

La bronquitis es la inflamación de las membranas de los conductos bronquiales y se debe a un virus. Se aconseja elegir alimentos con propiedades antivíricas y expectorantes.

Se recomienda

judía aduki (p. 75); col rizada
(p. 34); flor de saúco (p. 107); ajo
(pp. 116-117); cebolla (p. 14);
romero (p. 108); tomillo (p. 106).

CÁNCER

Una dieta rica en frutas y
verduras frescas puede ayudar
a prevenir el cáncer. Para tratar
la enfermedad ya declarada,
optar por alimentos
depuradores y ricos en
elementos nutritivos que
contengan sustancias
fitoquímicas enemigas del
crecimiento de los tumores.

Se recomienda

brócoli (p. 36); col de Bruselas
(p. 29); cereza (p. 58);
garbanzos (p. 86); pomelos
(p.p. 52-53); té verde
(pp. 110-111); col de Milán (p. 36);
shiitake (pp. 20-21).

CANDIDIASIS

Es una infección causada por el
hongo *candida albicans*.
Medicamentos como los
antibióticos y los esteroides, el
estrés y una dieta deficiente
pueden promover la
proliferación de la cándida.
Existen dos formas de
candidiasis, la oral (afta) y la
vaginal. La primera produce en
el interior de la boca unas placas
delgadas, húmedas y
blanquecinas que se desprenden
dejando puntos rojos e irritados.
La segunda produce secreciones
anormales, irritación y picores.

Se recomienda

yogur bio (p. 102); comino negro
(p. 113); ajo (pp. 116-117); tomillo
(p. 106).

CISTITIS

Es una infección bacteriana del
aparato urinario, que podemos
evitar consumiendo muchos
alimentos frescos ricos
en vitaminas A y C, así como
en cinc. Hay que evitar el exceso
de azúcar, cafeína, alcohol
y alimentos que contengan
aditivos, además de beber mucha
agua para mantener a nuestro
organismo bien hidratado.

Se recomienda

judía aduki (p. 75); espárrago
(p. 27); yogur bio (p. 102); col de
Bruselas (p. 29); cereza (p. 58);
mora roja (p. 60); ajo (pp. 116-
117); guayaba (p. 43); semilla y
aceite de sésamo (p. 74).

COLITIS ULCEROSA

La colitis ulcerosa puede
causar dolores abdominales,
diarreas sanguinolentas,
pérdida de peso y absorción
deficiente de las sustancias
nutritivas. Hay que evitar el
azúcar, los carbohidratos

refinados, el trigo y los productos lácteos, y optar por alimentos antiinflamatorios ricos en vitamina C.

Se recomienda

aguacate (pp. 24-25); yogur bio (p. 102); lenteja (p. 85); avena (p. 76); arroz (p. 80); soja (pp. 88-89); espinaca (p. 26); nuez (p. 63).

DEPRESIÓN (LEVE)

La depresión afecta a una de cada cuatro personas y se caracteriza por los llantos, la ansiedad y la sensación de desesperanza. Podemos combatirla evitando el alcohol, el tabaco y los azúcares, haciendo ejercicio y optando por alimentos altos en ácidos grasos omega 3 y vitaminas B.

Se recomienda

caballa (p. 98); avena (p. 76); quinua (p. 79); arroz (p. 80); salmón (p. 97); espinaca (p. 26); atún (p. 96).

ECCEMA

Hay que reducir la ingestión diaria de productos lácteos y elaborados, y seguir una dieta rica en grasas esenciales, vitamina A y cinc.

Se recomienda

manzanilla (p. 104); zanahoria (p. 11); col rizada (pp. 34-35); equinácea (p. 105); aceite de prímula (p. 73); piñón (p. 65); semilla de calabaza (p. 71); nuez (p. 63).

ENFERMEDADES CARDÍACAS

Hay que evitar las grasas saturadas (que se encuentran en las carnes rojas, el queso y los alimentos elaborados), consumir aceites saludables y alimentos ricos en fibra y flavonoides.

Se recomienda

almendra (p. 69); aguacate (pp. 24-25); arándano (pp. 56-57); ajo (pp. 116-117); pomelo (pp. 52-

53); caballa (p. 98); avena (p. 76); salmón (p. 97).

FATIGA POSVÍRICA

Aparece a menudo tras una infección vírica y podemos aliviar sus síntomas consumiendo alimentos que refuercen el sistema inmunológico.

Se recomienda

albaricoque (p. 42); remolacha (pp. 16-17); zanahoria (p. 11); cereza (p. 58); uva (p. 47); hierbabuena (p. 103); tomillo (p. 106).

FIEBRE DEL HENO

Una dieta rica en sustancias nutritivas que refuercen el sistema inmunológico, como la vitamina E, el betacaroteno, el selenio y el magnesio, puede ayudar a aliviar los síntomas de esta enfermedad alérgica, que

incluyen mucosidad nasal, estornudos e irritación ocular. Hay que evitar el trigo y los productos lácteos, tomar mucho líquido y consumir alimentos ricos en vitamina C, un antihistamínico natural.

Se recomienda

aguacate (pp. 24-25); remolacha (pp. 16-17); té verde (pp. 110-111); guayaba (p. 43); papaya (p. 41); shiitake (pp. 20-21); espinaca (p. 26).

GRIPE

Un sistema inmunológico sano es la mejor manera de combatir esta infección vírica de síntomas graves parecidos a los del resfriado. Los afectados deben seguir una dieta rica en vitaminas y minerales antioxidantes, y beber muchos líquidos, sobre todo, agua.

Se recomienda

Los mismos que corresponden al resfriado común.

HERPES SIMPLE

Este virus que produce irritaciones prolifera en la arginina, el aminoácido que se encuentra en el chocolate y los frutos secos, de modo que es mejor evitar estos alimentos. En cambio, hay que optar por alimentos ricos en vitamina C y betacaroteno. Durante un acceso de herpes simple, los alimentos ricos en vitamina C y cinc facilitan el proceso de curación.

Se recomienda

equinácea (p. 105); ajo (pp. 116-117); guayaba (p. 43); kiwi (p. 39); semilla de calabaza (p. 71); shiitake (pp. 20-21); espinaca (p. 26); tomate (p. 18).

INFECCIONES FÚNGICAS

Las infecciones fúngicas más comunes incluyen el afta (véase candidiasis) y el pie de atleta. Podemos combatirlas evitando el alcohol, los productos lácteos y los azúcares refinados, y limitando la ingestión de levaduras (incluido el pan y el extracto de fermento).

Se recomienda

nuez de Brasil (p. 66); manzanilla (p. 104); zanahoria (p. 11); ajo (pp. 116-117); jengibre (p. 112); pomelo (pp. 52-53); arroz (p. 80).

INTOXICACIONES ALIMENTARIAS

Producidas por bacterias como la e.coli y la *listeria*, las intoxicaciones alimentarias pueden causar vómitos, diarreas y fiebre. Para facilitar la recuperación, hay que beber mucha agua, optar por alimentos

desintoxicantes y restaurar el equilibrio normal del organismo con alimentos que faciliten el crecimiento de bacterias amigas.
Se recomienda
judía aduki (p. 75); espárrago (p. 27); yogur bio (p. 102); alcachofa (p. 28); uva (p. 47); té verde (pp. 110-111); avena (p. 76); ruibarbo (p. 19).

IRRITACIÓN DE LA GARGANTA
Las infecciones de la garganta pueden ser víricas o bacterianas y producen fiebre, malestar y dificultades para tragar, debido a la inflamación de las amígdalas y/o adenoides.
Se recomienda
arándano (pp. 56-57); zanahoria (p. 11); ajo (pp. 116-117); limón (p. 50); ortiga (p. 30); cebolla (p. 14); romero (p. 108); tomillo (p. 106).

MIGRAÑA
Podemos disminuir la frecuencia de estos fuertes dolores de cabeza identificando los alimentos potencialmente alergénicos y evitando su ingestión (queso, café, chocolate y vino tinto).

RESFRIADO COMÚN
Ayudamos a nuestro cuerpo a combatir los virus del resfriado común evitando los productos lácteos y consumiendo grandes cantidades de frutas y verduras ricas en vitamina C y cinc.
Se recomienda
comino negro (p. 113); arándano (pp. 56-57); ajo (pp. 116-117); jengibre (p. 112); limón (p. 50); avena (p. 76); cebolla (p. 14); naranja (p. 51); romero (p. 108); tomillo (p. 106).

SINUSITIS
Esta inflamación de las cavidades óseas que rodean la nariz produce mucosidad, dolores de cabeza y faciales. Suele ser una complicación de la gripe o el resfriado común, aunque también puede ser resultado de alergias, lesiones o infecciones dentales.
Se recomienda
Los mismos que corresponden al resfriado común.

VIH Y SIDA
El sida y su precursor, el VIH, representan un problema creciente en todo el mundo. Los afectados deben consumir muchos alimentos frescos, preferiblemente orgánicos e integrales, y optar por comidas ricas en cinc y vitamina C, además de shiitake y té verde.
Se recomienda
remolacha (pp. 16-17); nuez de Brasil (pp. 66-67); brócoli (p. 36); pomelo (pp. 52-53); té verde (p. 87); ortiga (p. 30); boniato (p. 10); shiitake (pp. 20-21).

glosario

VITAMINAS

A y betacaroteno – la vitamina A y su precursor vegetal, el betacaroteno, poseen grandes propiedades antivíricas. Son importantes para la producción de células T y enzimas antibacterianas.

Ácido fólico (folato) – una de las vitaminas B, vital para la salud del sistema reproductivo y la división celular. Ayuda a mantener sanas las células de la sangre.

B1 (tiamina) – es importante para la buena digestión, la salud de las membranas mucosas, el buen funcionamiento del sistema nervioso y los niveles de energía.

B2 (riboflavina) – repara y mantiene los tejidos y las membranas mucosas, y facilita la conversión de los alimentos en energía.

B3 (niacina) – afecta la producción de energía y mantiene sanos la piel, las membranas mucosas, los nervios, el cerebro y el sistema digestivo.

B5 (ácido pantoténico) – estimulante del sistema inmunológico y necesaria para la formación de anticuerpos. Ayuda al organismo a combatir el estrés y cuida de la salud de los nervios.

B6 – facilita la creación de aminoácidos cruciales para el sistema inmunológico, refuerza la acción de las células fagocíticas y es importante para el funcionamiento sano del cerebro.

B12 – necesaria para el ADN y el transporte del oxígeno a la sangre. Desintoxica el organismo y favorece la función nerviosa.

Biotina – necesaria para la salud de la piel, el cabello y las uñas, además de los nervios y la médula ósea. También participa en la producción de energía.

Vitamina C – antivírica, antioxidante, desintoxicante, antialergénica y antibacteriana, la vitamina C es crucial para el buen funcionamiento del sistema inmunológico.

Vitamina D – derivada, sobre todo, de la luz solar, la vitamina D es necesaria para tener huesos y dientes sanos. Ayuda a desactivar el sistema inmunológico cuando una infección ya está curada.

Vitamina E – ayuda a neutralizar los radicales libres perjudiciales, desintoxica el organismo y es necesaria para la buena respuesta de los anticuerpos.

Vitamina K – facilita la coagulación de la sangre y la cicatrización de las heridas. También es necesaria para el metabolismo óseo.

MINERALES

Calcio – refuerza los nervios y los huesos. Ayuda a los fagocitos y las células T a destruir los virus y las bacterias.

Cinc – mineral antioxidante y antivírico que refuerza el sistema inmunológico y es necesario para la maduración de las células T.

Cobre – facilita la absorción del hierro y aumenta la cantidad de oxígeno en la sangre.

Es necesario para la absorción de la vitamina C.

Cromo – regula los niveles de azúcar en la sangre y reduce los accesos de hambre. También refuerza y mejora la síntesis proteínica y disminuye los niveles de grasa en la sangre.

Fósforo – forma parte de las proteínas y es necesario para la salud.

Iodo – esencial para el buen funcionamiento de la tiroides, el yodo refuerza el metabolismo y aumenta los niveles de energía.

Magnesio – aumenta la absorción del calcio. Es necesario para el metabolismo y la producción de energía, la transmisión nerviosa y la función muscular.

Manganeso – es importante para la producción de insulina y necesario para la generación de enzimas antioxidantes, para la salud del ADN, los huesos, los nervios y la tiroides.

Potasio – es importante para el mantenimiento de los líquidos corporales y ayuda a producir energía.

Selenio – refuerza la resistencia a las enfermedades y posee propiedades desintoxicantes, antiinflamatorias y anticancerígenas.

Sílice – antiinflamatorio que favorece la cicatrización de la piel. Se encuentra en la avena.

OTROS
Aceites esenciales: término genérico que se refiere a los aceites bioactivos que se encuentran en las hierbas y las especias.

Ácido elágico – sustancia anticancerígena que se encuentra en las bayas.

Ácido málico – ácido que se encuentra en las manzanas y facilita la utilización eficaz de las energías por el organismo.

Ácido oxálico – producto del metabolismo relacionado con la formación de cálculos renales.

Ácidos grasos esenciales (EFA) – incluyen los ácidos grasos omega 3 y omega 6, poseen propiedades antiinflamatorias, son vitales para la salud de la sangre, la piel y los nervios, y refuerzan la respuesta inmunológica del organismo.

Allicina – aceite esencial que se encuentra en las cebollas y el ajo y podría contribuir a la supresión de los tumores.

Aminoácidos – unidades moleculares que componen las proteínas.

Antocianinas – pigmentos de coloración púrpura oscura de acción antioxidante. Favorecen el riego sanguíneo.

Beta sitosterol – sustancia química vegetal que reduce los niveles de colesterol en la sangre y refuerza la salud de la próstata.

Bromelaína – enzima antiinflamatoria que facilita la digestión de las proteínas.

Capsaicina – sustancia química vegetal que se encuentra en los chiles. Ejerce un efecto analgésico natural.

Carotenoides – pigmentos coloreados derivados de las plantas, incluyen el alfa caroteno, betacaroteno y gama caroteno, que dan lugar a la vitamina A.

Catequinas – flavonoides antioxidantes que ayudan a prevenir el cáncer y las enfermedades cardíacas.

Cinarina – sustancia desintoxicante que refuerza el hígado.

Colina – ayuda a regular el metabolismo de las grasas y refuerza nuestra resistencia a las infecciones.

Cuercetina – flavonoide antiinflamatorio que se encuentra en las cebollas.

Cultivos bacterianos – bacterias amigas que se encuentran en el yogur bio y promueven la buena digestión y la protección inmunológica del intestino.

Cumarinas – sustancias químicas que poseen propiedades anticoagulantes naturales. Ayudan a prevenir el cáncer.

Curcumina – pigmento desintoxicante y antiinflamatorio que se encuentra en la cúrcuma.

Esparragina – aminoácido desintoxicante que se encuentra en los espárragos.

Fenoles – sustancias desintoxicantes y anticancerígenas que se encuentran en las frutas y verduras frescas, así como en el té.

Glucosinolatos – sustancias químicas vegetales que se encuentran en las verduras de hoja verde y poseen grandes propiedades anticancerígenas.

Glutationa – importante sustancia antioxidante que fomenta el desarrollo de los linfocitos, células inmunizantes.

Inhibidores de la proteasa – proteínas vegetales que bloquean la formación de células cancerosas.

Isoflavonas – compuestos que imitan la acción de los estrógenos y ayudan a prevenir los cánceres relacionados con esta hormona.

Laetrile – compuesto que podría contribuir a la destrucción de las células cancerosas.

Lentinano – presente en las setas shiitake, el lentinano estimula la actividad de las células T y podría facilitar el tratamiento de los pacientes de sida y cáncer.

Licopeno – carotenoide antioxidante que se encuentra en los alimentos rojos. Ayuda a prevenir el cáncer de próstata.

Limoneno – sustancia química anticancerígena que se encuentra en los limones.

Lisina – aminoácido que se encuentra en las carnes de ave y ayuda a destruir el virus del herpes.

Luteína – carotenoide antioxidante vital para la salud ocular.

Mentol – aceite esencial que se encuentra en la hierbabuena y ayuda a despejar las mucosas.

Papaína – enzima que se encuentra en la papaya y facilita la digestión de las proteínas.

Pectina – fibra soluble que facilita la digestión y previene las dolencias cardíacas.

Rutina – flavonoide que tonifica y repara los vasos sanguíneos periféricos.

Saponinas – compuestos antiinflamatorios desintoxicantes que se encuentran en las hierbas, las verduras y las legumbres.

Sulforafano – sustancia química anticancerígena que se encuentra en las hojas de las verduras.

Taninas – sustancias astringentes que poseen propiedades antibacterianas.

índice

Agradecimientos
La autora quisiera dar las
gracias a Graeme Grant,
Grant Sharp, Jo, David
Vaughan-Thomas y a sus
padres, Paul y Valerie
Haigh. Los editores
dan las gracias
a Maria Davies.